MINECRAFT

5. Auflage 2024
verlegt durch Schneiderbuch
in der Verlagsgruppe HarperCollins Deutschland GmbH, Hamburg

Die englische Originalausgabe erschien 2022 unter dem Titel „MINECRAFT - Survival Handbook“
bei Farshore. An Imprint of HarperCollinsPublishers
1 London Bridge Street, London SE1 9GF

Written by Thomas McBrien
Additional illustrations by Kate Bieriezjanczuk
Special thanks to Sherin Kwan, Alex Wiltshire and Milo Bengtsson

MOJANG
STUDIOS

Übersetzt aus dem Englischen: Josef Shanel und Matthias Wissnet
Umschlag und Satz: Achim Münster, Overath
in Anlehnung an das englische Original
ISBN 978 -3-505-15020-3
Printed in Italy

www.schneiderbuch.de
Facebook: facebook.de/schneiderbuch
Instagram: @schneiderbuchverlag

ONLINE-SICHERHEIT FÜR JÜNGERE FANS

Online spielen macht Spaß! Um die Minecraft-Welt auch im Internet unbeschwert genießen zu können, sollten jüngere Fans ein paar Regeln beachten:

- Gib niemals deinen richtigen Namen an. Verwende ihn nicht als Benutzernamen.
- Mache niemals Angaben zu deiner Person.
- Erzähle niemandem, welche Schule du besuchst oder wie alt du bist.
- Vertraue niemandem dein Passwort an, außer deinen Eltern oder Erziehungsberechtigten.
- Für viele Websites musst du mindestens 13 Jahre alt sein, wenn du dort ein Benutzerkonto einrichten willst. Prüfe die Seitenbestimmungen und bitte deine Eltern oder Erziehungsberechtigten um Erlaubnis, bevor du dich registrierst.
- Wenn dich irgendetwas verunsichert, sprich mit deinen Eltern oder Erziehungsberechtigten darüber.

Wir nehmen Online-Sicherheit sehr ernst. Jede der in diesem Buch aufgeführten Website-Adressen war zur Drucklegung aktuell. Dennoch kann Farshore keine Verantwortung für den angebotenen Inhalt Dritter übernehmen. Bitte nehmen Sie zur Kenntnis, dass sich im Internet angebotene Inhalte ändern und nicht für Kinder geeignete Inhalte auf Websites auftauchen können. Wir empfehlen, Kinder zu beaufsichtigen, wenn diese das Internet benutzen.

MINECRAFT

DAS SURVIVAL-HANDBUCH

INHALT

WILLKOMMEN ZUM MINECRAFT SURVIVAL-HANDBUCH!

Minecraft kann auf verschiedene Arten gespielt werden – und eine der beliebtesten ist der Überlebensmodus. Darin musst du dir deinen eigenen Weg durchs Spiel bahnen: Zum Bauen stehen dir nur die Blöcke, die du findest, zur Verfügung und du musst vielen Gefahren trotzen – jeder falsche Schritt könnte dich um Kopf und Kragen bringen! Das sorgt für Nervenkitzel, stellt aber eine große Herausforderung dar!

Vielleicht hast du dieses Buch in die Hand genommen, um deine allererste Nacht im Spiel zu überstehen, oder brauchst Unterstützung auf deiner weiteren Reise. Oder du bist schon ein erfahrener Held und möchtest endlich wissen, was dich auf der anderen Seite des Bergs erwartet!

Ganz egal, wie unerfahren oder erfahren du bist, dieses Buch lehrt dich alles Wissenswerte, um den Überlebensmodus zu meistern. Du lernst die Benutzeroberfläche kennen und wie man unentbehrliche Werkzeuge herstellt. Natürlich erfährst du auch, wie du dich gegen angriffslustige Kreaturen verteidigen kannst, stets wohlgenährt bleibst, freundliche Dorfbewohner triffst, hilfreiche Tränke braust und deine Ausrüstung verzauberst.

Zum Schluss brechen wir noch in die bizarren und gefährlichen Dimensionen des Nethers und Endes auf, wo du alles bis dahin Gelernte anwenden musst, um der Held zu werden, den das Schicksal vorgesehen hat!

Die Welt ist riesig und steckt voller Abenteuer.

PACKEN WIR'S AN!

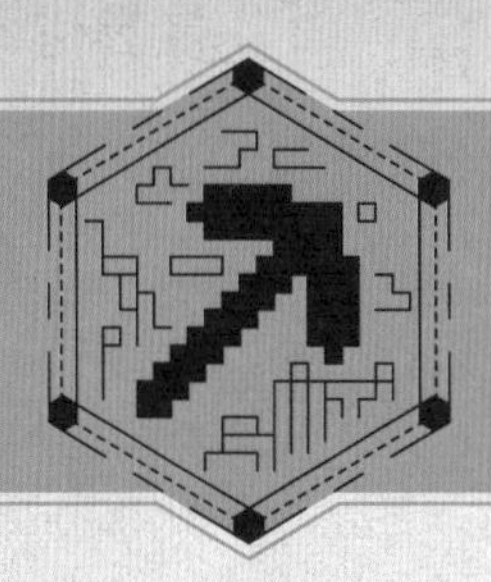

BEVOR DU LOSLEGST

BEDROCK EDITION & JAVA EDITION

Minecraft gibt es in zwei Editionen: Bedrock Edition und Java Edition. Beide bieten das gleiche Minecraft-Erlebnis mit nur geringfügigen Unterschieden, aber jede Edition hat ihren eigenen Mehrspielermodus.

JAVA EDITION

BEDROCK EDITION

WELCHES GERÄT?

Du kannst Minecraft auf allerlei Endgeräten spielen, vom Smartphone über Spielkonsolen bis hin zu VR-Brillen. Je nach Gerät spielst du entweder die Bedrock Edition oder Java Edition. Die Bedrock Edition erlaubt plattformübergreifendes Spielen auf Konsolen, Mobilgeräten und Windows, während die Java Edition die originale Minecraft Edition ist und plattformübergreifendes Spielen zwischen Windows, Linux und macOS ermöglicht.

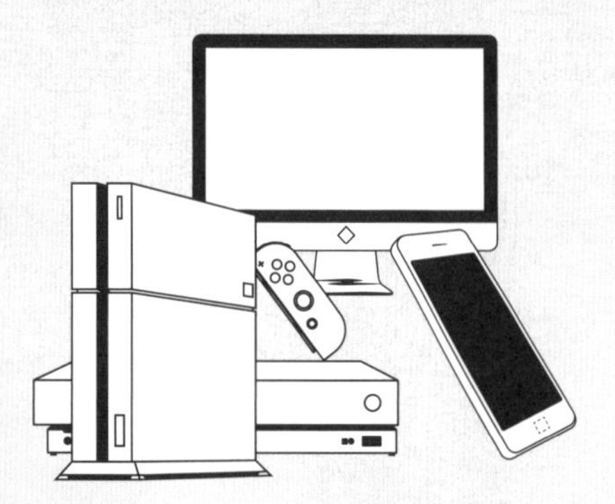

PROFITIPP

Frag einfach deine Freunde, welche Edition sie spielen. Spielt ihr dieselbe Version, könnt ihr plattformübergreifend im Mehrspielermodus losziehen!

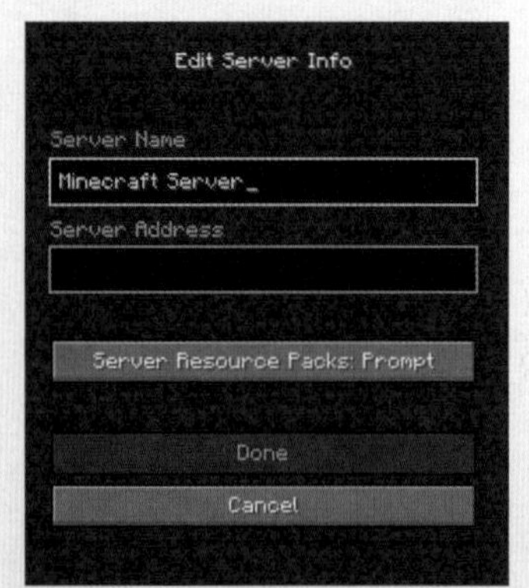

TRITT EINEM SERVER BEI

Möchtest du zu deinen Freunden auf einem bereits vorhandenen Server stoßen? Wähle „Mehrspieler“ und füge ihren Server hinzu. Gib dazu einfach den Servernamen und die Serveradresse ein, klicke auf „Fertig“ und wähle den Server unter „Server beitreten“ im Mehrspielermenü aus.

Bevor du dich in die Oberwelt begibst, musst du zunächst entscheiden, wie und auf welchem Gerät du spielen möchtest. Wenn du zusammen mit deinen Freunden spielen möchtest, ist die Wahl der richtigen Edition wichtig. Dieses Buch konzentriert sich auf die Minecraft: Bedrock Edition, welche sich im Detail ein wenig von der Minecraft: Java Edition unterscheidet.

EINZELSPIELER VS. MEHRSPIELER

Sobald du dich für eine Edition entschieden und das Spiel installiert hast, musst du die Art deines Abenteuers wählen. Du kannst entweder allein losziehen oder mit anderen Spielern zusammen die Welt erforschen.

Der Mehrspielermodus kann online und im LAN-Modus (mehrere Geräte im selben Haushalt) gespielt werden. Möchtest du mit deinen Freunden spielen, kannst du einem LAN-Spiel in deinem Heimnetzwerk oder einem Onlineserver beitreten.

Der Einzelspielermodus ist der Standardmodus. Wenn du Minecraft zum ersten Mal spielst, solltest du allein losziehen und dich mit Steuerung und Spiel vertraut machen. Vielleicht ziehst du es ja vor, allein und in Ruhe zu bauen und auf Erkundungstour zu gehen!

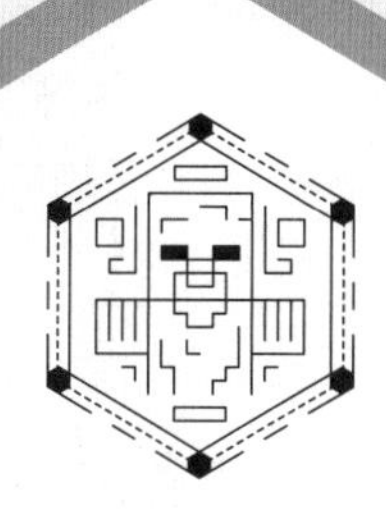

ÜBERLEBENSMODUS

Deine ersten Schritte in der Oberwelt im Überlebensmodus können eine echte Herausforderung sein, da du ungewohntes Terrain betrittst und dich gefährlichen Kreaturen gegenübersiehst. Um zu bestehen, musst du dich auf die unbekannten Gefahren vorbereiten, die dich erwarten. Aller Anfang ist schwer, denn es gibt keine Route, der du folgen könntest, sondern du musst dir deinen eigenen Weg durch diese wilde und blockige Welt bahnen.

Lies weiter und erfahre mehr über den Überlebensmodus und wie du in Minecraft am Leben bleibst. Los geht's!

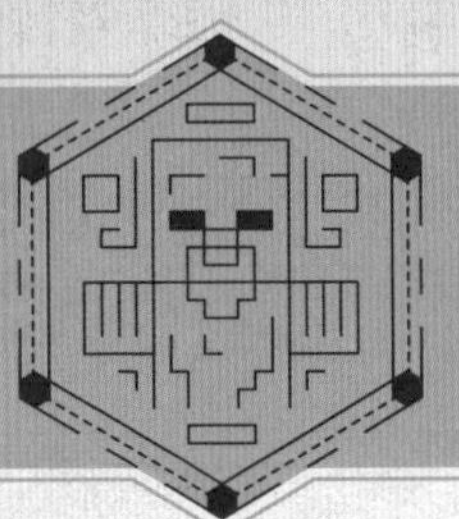

WAS IST DER ÜBER-LEBENSMODUS?

WARUM IM ÜBERLEBENSMODUS SPIELEN?

1 ERKUNDEN

Im Überlebensmodus trittst du gegen die Natur an. Durchstreife die Welt und ergründe ihre Geheimnisse um dich herum, aber nimm dich vor Abgründen, Seen, Lava und einer Vielzahl anderer Gefahren in Acht.

2 KÄMPFE GEGEN KREATUREN

Explosive Creeper und Skelette streifen durch die Lande, um Spieler zu terrorisieren. Mach dich auf jede Menge Kämpfe gefasst. Oft wirst du rennen müssen, um zu entkommen.

3 RESSOURCEN

Du wirst alle benötigten Materialien finden und sammeln müssen. Während einige schnell beschafft sind, wirst du für andere gefährliche Abenteuer in entfernten Gebieten bestreiten müssen.

4 ÜBERLEBEN

Aggressive Monster erscheinen jeden Tag bei Einbruch der Dunkelheit, also musst du dein Überleben sichern, indem du Ausrüstung herstellst und Bauwerke baust.

Im Überlebensmodus müssen Spieler erkunden, bauen und kämpfen, um zu bestehen. Anfangs nur mit deiner Schläue ausgestattet, musst du schnell handeln und Ressourcen sammeln, um die erste von vielen Nächten zu überstehen. Pass auf, wo du hinläufst! Es lauert überall Gefahr.

WER WAGT, DER GEWINNT

Der Überlebensmodus bietet jede Menge Nervenkitzel – und anders als im Kreativmodus stirbst du, wenn dir die Gesundheitspunkte ausgehen. Eine Wiederbelebung bringt dich zurück ins Spiel, aber du verlierst deine Gegenstände und Erfahrungspunkte. Doch das macht die Belohnungen im Spiel umso süßer!

TAG-NACHT-RHYTHMUS

In Minecraft vergeht die Zeit exakt 72-mal so schnell wie in der echten Welt – ein voller Tag inklusive Sonnenaufgang und -untergang dauert also 20 Minuten. Behalte die Uhr im Auge, denn verschwindet die Sonne, tauchen jede Menge Monster in dunklen Ecken auf und Gefahren sind mangels Licht schwerer auszumachen. Die Nacht ist die gefährlichste Zeit im Spiel. Außerdem wächst im Dunkeln nichts, also suchst du dir am besten einen sicheren Schlafplatz!

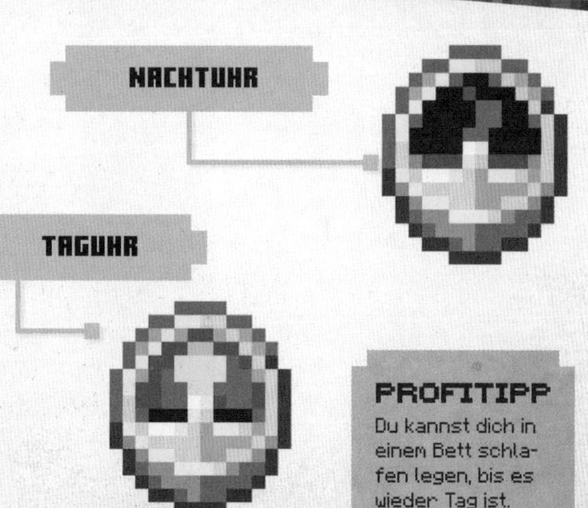

PROFITIPP

Du kannst dich in einem Bett schlafen legen, bis es wieder Tag ist.

PASSE DEINE NEUE WELT AN

SPIELMODUS

Spiele im Überlebensmodus, um den größten Nutzen aus diesem Buch zu ziehen. Im Überlebensmodus musst du Ressourcen sammeln, um bauen, Ausrüstung herstellen und überleben zu können. Spieler der Java Edition können sich außerdem noch am Hardcore-Modus versuchen – der Schwierigkeitsgrad ist von Anfang an auf „Schwer“ eingestellt und eine Wiederbelebung nach dem Tod ist nicht möglich.

SCHWIERIGKEITSGRAD

Außer „Normal“ gibt es noch drei weitere Modi: „Friedlich“, „Einfach“ und „Schwer“. Auf „Friedlich“ regeneriert sich die Spielergesundheit von selbst und viele aggressive Kreaturen erscheinen nicht – und wenn, dann richten sie keinen Schaden an. Auf „Einfach“ verursachen Monster weniger Schaden und haben weniger Ausrüstung. Auf „Schwer“ verursachen Gegner deutlich mehr Schaden und können gefährliche Fähigkeiten haben.

CHEATS ERLAUBEN

Schalte diese Option ein, um Cheats zu nutzen. Sie erleichtern dir das Leben, verhindern aber das Erreichen von Fortschritten. Den Überlebensmodus spielt man am besten ohne Cheats.

DATENPAKETE

Mit Datenpaketen kannst du deine Spielerfahrung anpassen. Damit kann man Texturen austauschen, neue Erfolge erschaffen und Inhalte hinzufügen oder entfernen. Du findest sie auf dem Minecraft-Marktplatz.

SPIELREGELN

Hier kannst du etliche Spielparameter verändern, bevor du eine neue Welt erstellst. So kannst du beispielsweise die Häufigkeit von zufälligen Ereignissen bestimmen oder einstellen, dass du dein Inventar nach dem Tod behältst.

Du kannst diverse Einstellungen vornehmen, wenn du eine neue Welt erstellst. Sie bestimmen das Erscheinungsbild der Landschaft und welche Strukturen im Spiel generiert werden. Passe sie deinen individuellen Bedürfnissen an, je nachdem, wie du spielen möchtest.

STARTWERT

Jede Welt hat einen einzigartigen Startwert – einen 19-stelligen Code, mit dem die Welt erzeugt wird. Du kannst eine zufällige Welt erstellen oder den Code einer existierenden Welt eingeben, die für jeden Spieler gleich ist, der denselben Code benutzt. So kannst du in beliebten Welten spielen oder deinen Fortschritt im Überlebensmodus mit Freunden vergleichen.

STRUKTUREN GENERIEREN

Minecraft ist voll mit vom Spiel generierten Bauwerken (mehr dazu auf den Seiten 44 und 88). Wenn du in kompletter Wildnis spielen möchtest, kannst du diese Option ausschalten und so ihr Vorkommen in der Welt verhindern. Allerdings ist dann nur begrenzter Fortschritt in der Spielwelt möglich.

BONUSTRUHE

Schaltest du diese Option ein, erscheint bei Erstellung der Welt eine Truhe in der Nähe deines Spawnpunktes. Sie enthält eine zufällige Sammlung nützlicher Gegenstände für den Spielbeginn.

WELTTYP

„Standard" erzeugt eine abwechslungsreiche und üppige Welt mit Bergen und Bäumen, während „Flachland" eine komplett flache Grasebene auf Grundgestein erstellt. Java-Spieler können exklusiv „Zerklüftet" wählen – diese Einstellung sorgt für unerbittliche Welten mit hohen Bergen und tiefen Schluchten.

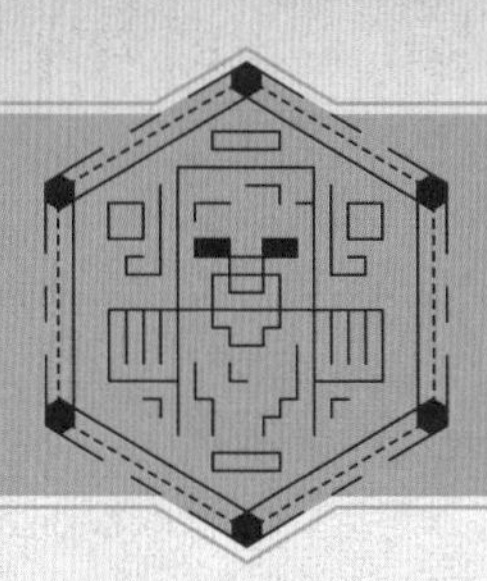

SPIELERWERTE

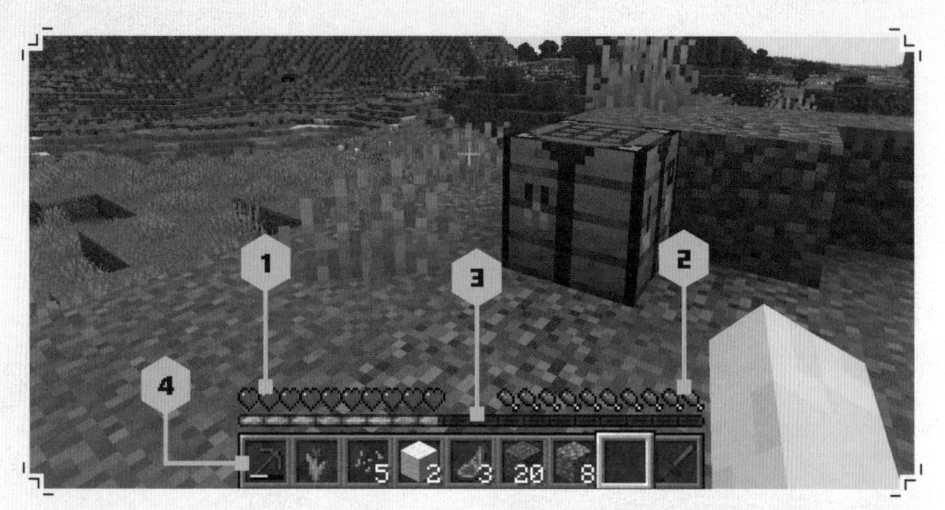

1 LEBENSANZEIGE

Die Herzen geben deine Gesundheitspunkte an. Jedes Herz steht für zwei Gesundheitspunkte, maximal kannst du 20 Punkte haben. Wenn du Schaden nimmst, verlierst du Herzen, bekommst sie aber wieder, wenn deine Hungeranzeige voll ist.

2 HUNGERANZEIGE

Sie besteht aus zehn Fleischkeulen, die jeweils zwei Hungerpunkte darstellen. Bei Aktivitäten wie Sprinten, Springen und Abbauen nehmen die Keulen ab. Bei voller Hungeranzeige regenerierst du Gesundheitspunkte.

3 ERFAHRUNGSLEISTE

Erfahrungskugeln erscheinen u. a. beim Abbauen, Züchten, Handeln und Bezwingen von Kreaturen in der Welt. Sammle sie ein, um deine Erfahrungsstufe in der grünen Leiste zu erhöhen und Verzauberungen sowie Reparaturen durchführen zu können.

4 SCHNELLZUGRIFFSLEISTE

Der Teil des Spielerinventars mit deinen am meisten benutzten Blöcken, Waffen und Werkzeugen, der im Head-up-Display verankert ist. Auf diese Gegenstände kannst du zugreifen, ohne dein Inventar zu öffnen. Dein Schwert solltest du stets parat haben.

PROFITIPP

Im Inventarbildschirm kannst du die Blöcke, Werkzeuge und Gegenstände bestimmen, die in deiner Schnellzugriffsleiste erscheinen. Die unterste Reihe des Inventars ist die Schnellzugriffsleiste, in die du Dinge verschieben kannst. Lege Nützliches nebeneinander, um schnell dazwischen wechseln zu können.

Es ist an der Zeit, die Oberwelt zu betreten. Wähle „Spielen" und erstelle deine erste Welt. Wenn du dort erscheinst, findest du dich in einem dem auf diesen Bildern ähnlichen Biom wieder. Das Head-up-Display zeigt dir alle Werte an, die für dein Überleben wichtig sind. Sehen wir uns mal genauer an, was du dort vorfindest.

5 INVENTAR

Dein Inventar besteht aus 27 Slots, einem Feld für die Zweithand und einem 2 × 2 Kästchen großen Handwerksfeld. Viele der Blöcke und Gegenstände können gestapelt verwahrt werden (bis zu 64 Stück), Werkzeuge zum Beispiel können aber nur einzeln abgelegt werden.

6 ZWEITHAND

In dieses Feld kannst du einen sekundären Gegenstand aus deinem Inventar legen. So kannst du zwei Waffen gleichzeitig führen – viele Spieler nutzen es jedoch lieber für Fackeln oder Schilde, um sich aktiv verteidigen zu können.

7 RÜSTUNGS-SLOTS

Die Slots für deine Rüstung. Du kannst dich mit Helmen, Brustplatten, Hosen und Stiefeln ausrüsten, um länger am Leben zu bleiben. Jedes Rüstungsteil erhöht deine Rüstungspunkte und mindert den durch Angriffskraft erlittenen Schaden.

8 REZEPTBUCH

Dieses Buch ist ein Kompendium der Rezepte in Minecraft. Es zeigt dir alles an, was du aus den Materialien in deinem Inventar herstellen kannst. Einige Rezepte benötigen jedoch eine Werkbank.

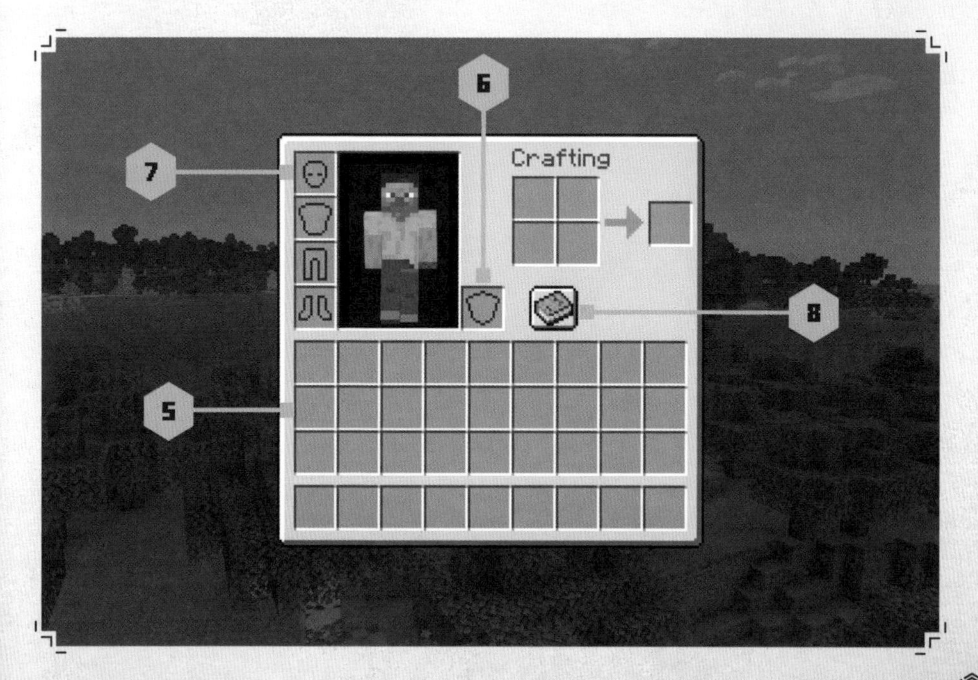

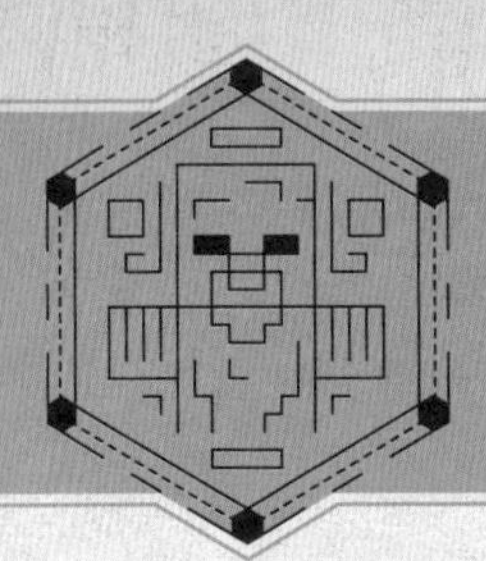

RESSOURCEN

BLÖCKE

Blöcke sind die Bausteine jeder Struktur und können direkt in die Spielwelt platziert oder zur Herstellung verwendet werden. Du kannst sie einsammeln, indem du mit deinen Fäusten oder Werkzeugen auf sie einschlägst, gräbst oder sie abbaust. Blöcke zu sammeln, herzustellen und zu verwenden ist das A und O, um in Minecraft zu überleben.

Inventar

GEGENSTÄNDE

Gegenstände sind Objekte, die du deinem Inventar hinzufügen kannst, beispielsweise Nahrung oder Materialien zur Herstellung. Im Gegensatz zu Blöcken können Gegenstände nicht in die Spielwelt platziert werden. Sie können in Rezepten oder von Spielern verwendet werden.

WERKZEUGE

In Minecraft gibt es Werkzeuge für jede Aufgabe. Viele Blöcke können per Hand eingesammelt werden, aber Werkzeuge wie Spitzhacken und Schaufeln beschleunigen den Prozess. Mit einem Feuerzeug kannst du bestimmte Blöcke anzünden, ein Kompass hilft dir bei der Orientierung und Waffen unterstützen dich im Kampf (mehr dazu auf Seite 18).

Auf den ersten Blick sieht man, woraus die Spielwelt von Minecraft besteht: aus Blöcken. Diese Blöcke stellen deine Ressourcen dar – baue, kämpfe und überlebe dank ihnen. Manche Blöcke und Kreaturen hinterlassen Gegenstände, und du kannst Gegenstände und Blöcke kombinieren, um Werkzeuge herzustellen. Je länger du spielst, desto mehr wirst du alles durchschauen!

RESSOURCEN VERWENDEN

Wenn du das Spiel beginnst, wirst du schnell auf Bäume stoßen, die du fällen kannst, um Holz zu gewinnen. Du wirst Höhlen entdecken, die reich an Kohle und Erzen sind, und du wirst Saatgut finden, mit dem du Feldfrüchte anbauen kannst. Um das Beste aus diesen Ressourcen zu machen, wirst du zunächst ein paar Dinge unter Verwendung deines Rezeptbuches herstellen müssen.

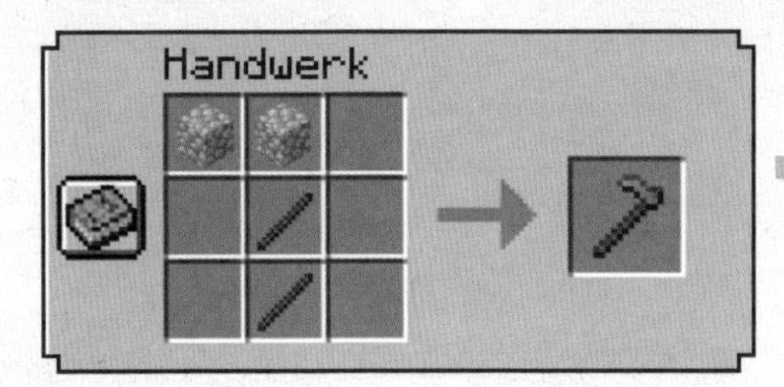

HANDWERK

Dein Inventar erlaubt dir, vier Zutaten zur Herstellung zu verwenden, aber wenn du komplexere Rezepte nutzen möchtest, solltest du eine Werkbank bauen, die neun Zutaten fassen kann. Dein Rezeptbuch gibt Aufschluss, was du aus deinen gesammelten Ressourcen herstellen kannst.

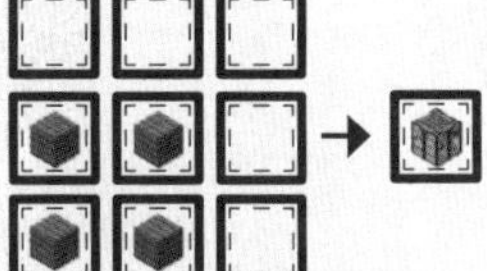
Werkbankrezept

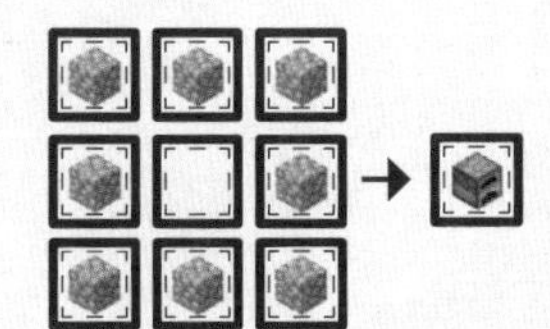
Ofenrezept

PROFITIPP

Viele brennbare Ressourcen wie Kohle und Holz lassen sich als Brennstoff nutzen. Du kannst auch hölzerne Blöcke wie Treppen und Stufen verheizen.

ÖFEN

Einen Ofen kannst du nutzen, um Nahrung zuzubereiten und Blöcke einzuschmelzen, um daraus eine Menge nützlicher Gegenstände wie Eisenbarren, Glas und Netherziegel herzustellen. Du musst aber stets für genug Brennstoff sorgen, um weiterhin schmelzen zu können.

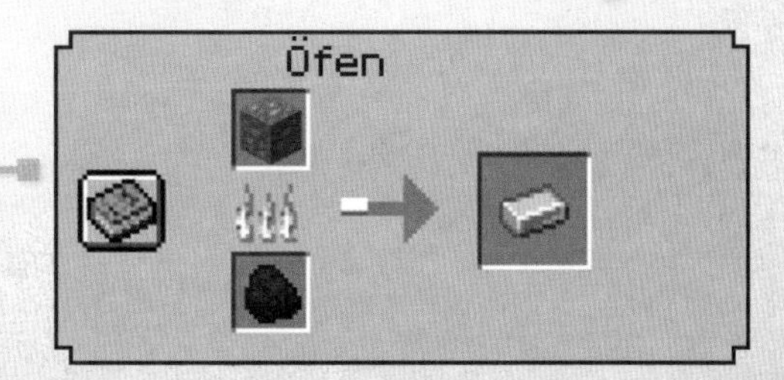

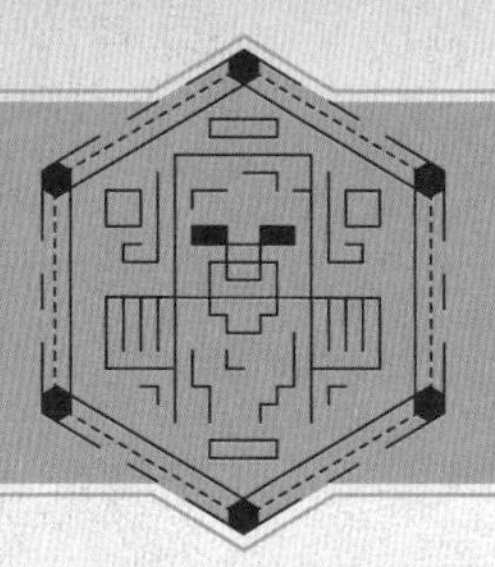

WERKZEUGE FÜR ALLE LEBENSLAGEN

ANGRIFFSKRAFT & HALTBARKEIT

Werkzeuge können aus Holz, Stein, Eisen, Gold, Diamant und Netherit gefertigt werden. Je besser das Material, desto schneller kannst du damit Ressourcen sammeln und desto länger hält dein Werkzeug. Mit besseren Werkzeugen kannst du obendrein seltenere Ressourcen abbauen.

SPITZHACKE

ARTEN						
ANGRIFFSKRAFT HALTBARKEIT	1	3	4	2	5	6

Die Spitzhacke ist vermutlich das erste und meistgenutzte Werkzeug, das du in Minecraft fertigen wirst. Du brauchst sie, um Erze, Steine und Metalle abzubauen. Bestimmte Spitzhacken sind nötig, um bestimmte Arten von Blöcken abzubauen – verwendest du eine Spitzhacke, die zu schwach für das Material ist, wird der Block zerbrechen, ohne etwas zu hinterlassen.

AXT

ARTEN						
ANGRIFFSKRAFT HALTBARKEIT	3	4	5	3	6	7

Wenn du Bäume fällen oder effektiv hölzerne Blöcke einsammeln möchtest, ist die Axt deine erste Wahl. Zudem ist sie auch eine tödliche Waffe. Ihre Angriffskraft reicht zwar nicht ganz an ein Schwert heran, dennoch kannst du sie effektiv im Kampf gegen Kreaturen schwingen.

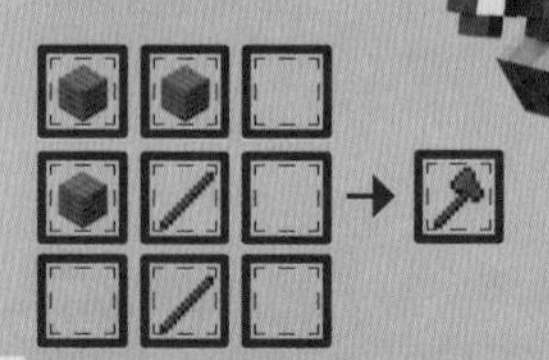

SCHWERT

ARTEN						
ANGRIFFSKRAFT HALTBARKEIT	4	5	6	4	7	8

Das Schwert ist deine Hauptwaffe im Nahkampf. Ein gutes Schwert ist die halbe Miete im Kampf gegen gefährliche Monster. Mit Schwertern kann man aber auch bestimmte Ressourcen wie Bambus oder Spinnennetze abbauen.

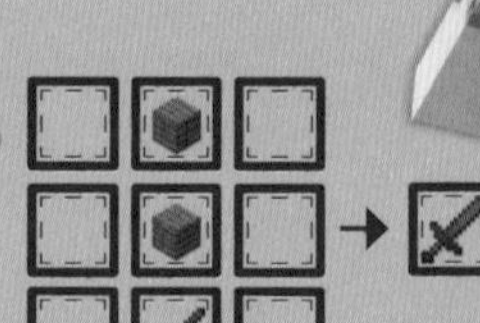

Das Sammeln von Ressourcen ist ein wichtiger Teil des Spiels, egal ob du Nahrung anbaust, Bäume fällst oder nach Diamanten schürfst. Dabei gibt es für jede Aufgabe ein passendes Werkzeug: Mit dem richtigen kannst du Blöcke schneller einsammeln, mit dem falschen zerstörst du sie womöglich.

HACKE

ARTEN						
ANGRIFFS-KRAFT HALTBAR-KEIT	2	3	4	2	5	6

Für Spieler mit grünem Daumen ist die Hacke unentbehrlich. Damit lassen sich wunderbar Erde und Grasblöcke bestellen, um Ackerboden daraus zu machen. Außerdem kann sie als Sichel eingesetzt werden, um effektiv Ackerpflanzen zu ernten.

SCHAUFEL

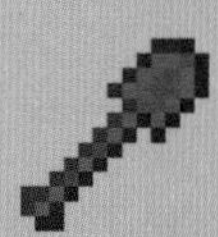

ARTEN						
ANGRIFFS-KRAFT HALTBAR-KEIT	1	2	3	1	4	5

Mit Schaufeln kann man am schnellsten Erde, Sand und andere weiche Blöcke beseitigen. Außerdem können sie Erde in Trampelpfade verwandeln und Lagerfeuer löschen.

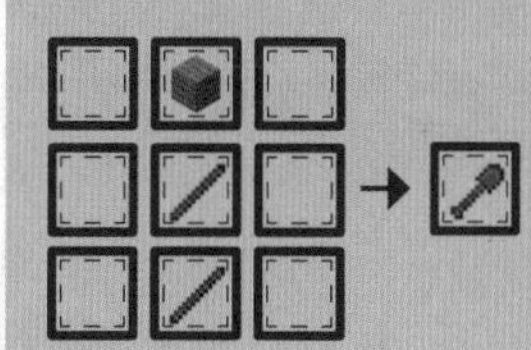

SCHERE

Möchtest du ein Schaf scheren, führt kein Weg an einer Schere vorbei. Schneller bist du noch nie an Wolle gekommen! Sie kann aber auch dazu eingesetzt werden, bestimmtes Saatgut zu ernten oder Spinnennetze zu durchschneiden.

FEUERZEUG

Damit kannst du Feuer machen – entzünde gelöschte Lagerfeuer, Kerzen oder Netherportale. Du kannst damit auch TNT anzünden, achte aber darauf, dich nicht versehentlich in die Luft zu sprengen!

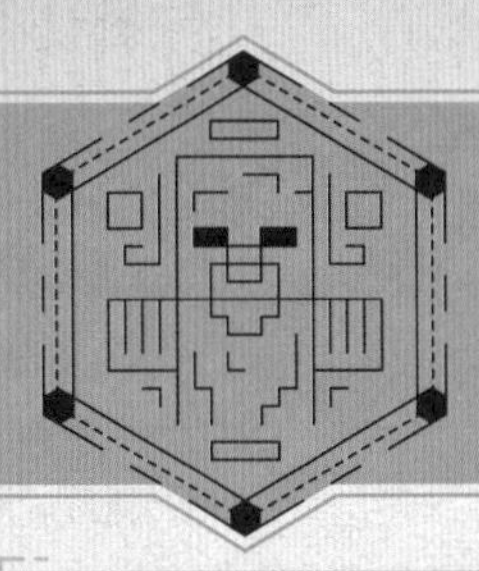

BERGBAU LEICHT GEMACHT

TIPPS FÜR BERGBAUER

Bergbau ist nicht nur Glückssache – mit diesen Tricks erhöhst du deine Chancen auf eine reiche Ausbeute.

BELEUCHTUNG

Unter der Erde ist es finster, also bring ein paar Fackeln mit, um für den nötigen Durchblick zu sorgen. Denn wer die Blöcke nicht sieht, hat auch keine Ahnung, was er abbaut! Außerdem hältst du mit Licht aggressive Kreaturen davon ab, dich beim Bergbau zu stören.

GEHÖRSINN

Dreh die Lautstärke auf und hör genau hin – hörst du das Wasser tropfen oder einen Zombie in der Nähe stöhnen? Die Geräusche machen dich auf nahegelegene Höhlen aufmerksam, deren Erforschung sich lohnen könnte – oder warnen dich vor Monstern, denen du aus dem Weg gehen solltest!

STANDORT

Wenn du nach bestimmten Blöcken Ausschau hältst, solltest du am richtigen Ort suchen. Während viele Blöcke in der gesamten Spielwelt gefunden werden können, kommen manche nur in bestimmten Biomen vor. Bist du auf der Suche nach Golderz, solltest du dich unbedingt in Tafelbergen umsehen. Auf den Seiten 38 bis 45 erfährst du mehr über Biome.

PROFITIPP

Wenn du die Untertitel einschaltest, tust du dich leichter, die Geräusche richtig zu verorten.

Bergbau ist ein entscheidendes Spielelement im Überlebensmodus. Ganz egal, was du vorhast oder wohin deine Reise geht, ohne Bergbau kommst du im Spiel nicht voran. Zum Glück macht er eine Menge Spaß und viele Wege führen zum Ziel. Hier sind ein paar nützliche Tipps, wie du deine Ausbeute verbessern kannst.

SO GEHT BERGBAU

Ohne gute Vorbereitung geht nichts. Pack alles ein, was du für deine Expedition brauchen wirst, bevor du losziehst: eine Spitzhacke, eine Schaufel, Fackeln und Nahrung. Als Nächstes brauchst du eine Strategie, um die maximale Anzahl von Blöcken mit minimalem Aufwand abzubauen.

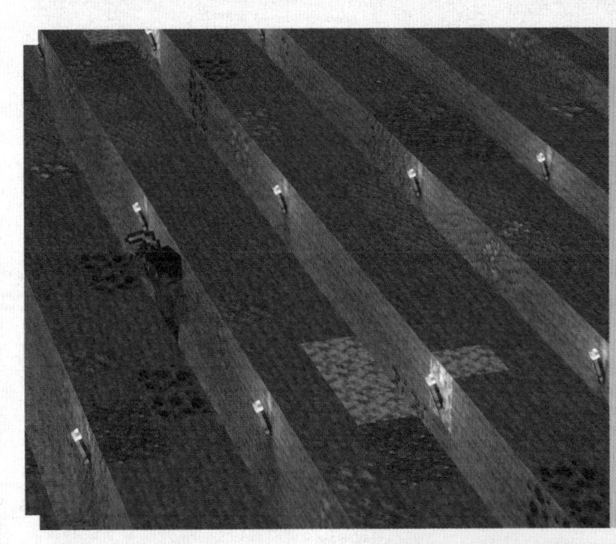

TUNNELNETZ

Eine beliebte Bergbaustrategie ist, gleich ein ganzes Netz an Tunneln anzulegen. Einfacher geht's nicht: Schnapp dir deine Werkzeuge und grabe ein Loch im Boden. Danach legst du Tunnel an, die vom Hauptgang in alle möglichen Richtungen ausfächern, um ein weites unterirdisches Gebiet abzudecken.

VORTEILE

- Geht überall
- Reiche Ausbeute an Ressourcen

NACHTEILE

- Gewünschte Ressourcen nur schwer auffindbar
- Kostet viel Arbeit, sodass Werkzeuge schnell kaputtgehen

HÖHLENWANDERN

Viele Spieler erforschen gern Höhlen. Suche nach einem Höhleneingang, der dich unter die Erde führt. Tief unter der Oberfläche wirst du viele Ressourcen erspähen, die nur darauf warten, von dir aufgesammelt zu werden.

VORTEILE

- Werkzeuge halten länger
- Ressourcen sind leicht auszumachen

NACHTEILE

- Nicht immer ist eine Höhle nah
- Du kannst dich leicht verlaufen
- Monster liegen auf der Lauer

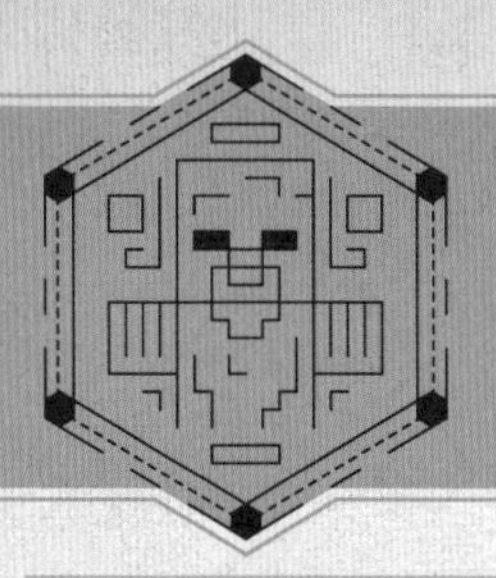

ESSEN FASSEN

HUNGER

Der Hunger ist im Spiel genauso wichtig wie die Gesundheit, da er Einfluss auf diese hat und dein Marschtempo bestimmt. Eine niedrige Hungeranzeige lässt dich langsamer vorankommen. Ist die Anzeige leer, verlierst du Gesundheitspunkte und kannst nicht mehr schlafen.

20 HUNGERPUNKTE
Regeneriere sofort 2 Gesundheitspunkte, wenn du Schaden nimmst.

6–17 HUNGERPUNKTE
Weder verlierst du Gesundheitspunkte, noch erhältst du welche.

<6 HUNGERPUNKTE
Du kannst nicht mehr sprinten.

>18 HUNGERPUNKTE
Du regenerierst langsam verlorene Gesundheitspunkte.

0 HUNGERPUNKTE
Du verlierst langsam Gesundheitspunkte.

Im Überlebensmodus musst du stets ein Auge auf deine Lebens- und Hungeranzeige haben. Sinken sie in einen niedrigen Bereich, wirst du Mühe haben, am Leben zu bleiben! Jede Aktivität wirkt sich auf deine Hungeranzeige aus, doch zum Glück kannst du sie durch den Verzehr von Nahrung wieder füllen.

Spieler haben zwei Nahrungswerte: Hunger und Sättigung. Beide lassen sich durch Nahrungsaufnahme steigern, aber nur Hunger wird im Interface angezeigt. Die Sättigung verringert die Notwendigkeit zu essen, denn je höher sie ist, desto langsamer leert sich die Hungeranzeige. Zu den sättigendsten Nahrungsmitteln gehören Melonen, Karotten – insbesondere goldene –, Gebratenes Rindfleisch und Gebratenes Schweinekotelett. Die zuletzt verzehrte Nahrung bestimmt deinen Sättigungsgrad.

Du willst natürlich nur die beste Nahrung zu dir nehmen, damit deine Hungeranzeige immer schön voll ist. Manche Nahrungsmittel sind aber nicht so leicht zu finden. Keine Sorge, irgendwann kommst du schon an alle Köstlichkeiten, aber gerade am Anfang solltest du dich auf leicht Beschaffbares konzentrieren. Wie wäre es hiermit?

ROTE BETE

Mit etwas Glück stößt du unterwegs auf Rote Bete, mit deren Samen du dann selbst welche anpflanzen kannst.

BROT

Du kannst Brot an einer Werkbank mit drei Bündeln Weizen herstellen. Brot ist ein sehr effizientes und nachhaltiges Nahrungsmittel.

SÜSSE BEEREN

Süße Beeren können von Süße-Beeren-Sträuchern gepflückt werden, die in allen Taiga-Varianten vorkommen. Pass auf ihre Dornen auf!

OFENKARTOFFEL

Ofenkartoffeln sind ein sättigendes Nahrungsmittel. Backe Kartoffeln in einem Ofen, Schmelzofen oder am Lagerfeuer.

ROHES RINDFLEISCH

Die meisten Nutztiere hinterlassen rohes Fleisch. Rindfleisch kannst du entweder roh verzehren oder braten, um mehr Nahrungspunkte zu erhalten.

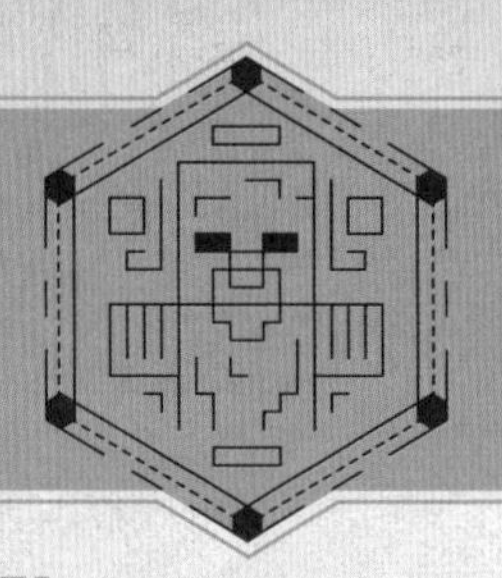

ESSEN FASSEN

GRUNDNAHRUNGSMITTEL

Die meisten Lebensmittel wie Fisch, Fleisch, Obst und Gemüse können einfach so gegessen werden und füllen deinen Sättigungswert und deine Hungeranzeige. Sie mögen unterschiedlich nahrhaft sein, aber mit Grundnahrungsmitteln bleibst du immer satt.

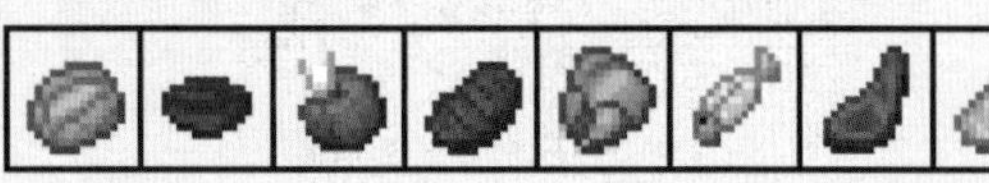

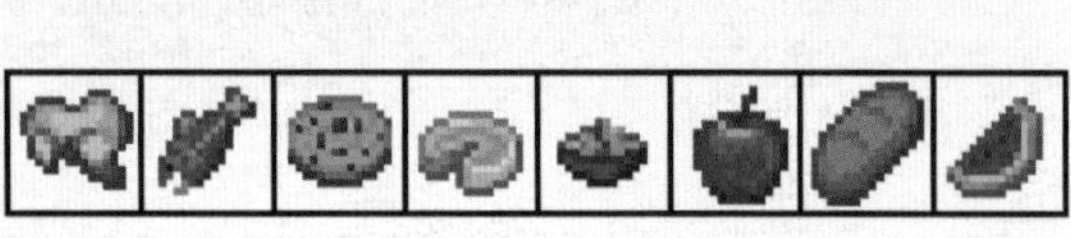

REZEPTE

Manche Lebensmittel können nicht roh verzehrt werden oder sind nur wenig nahrhaft, bevor sie nicht in Rezepten verarbeitet wurden. Dadurch ergeben sich nützliche Nahrungsmittel, wie zum Beispiel Honigflaschen gegen Vergiftung oder Kuchen für deine Geburtstagsparty. Hergestellte Nahrung ist in der Regel viel nahrhafter, verschlingt aber auch Ressourcen. Auf einem Bauernhof (siehe Seiten 26 bis 29) kannst du viele Zutaten produzieren. Es gibt jede Menge leckerer Rezepte zu entdecken – hier unsere Favoriten.

Kuchenrezept

Goldener-Apfel-Rezept

Keksrezept

Je mehr du die Welt erkundest, desto mehr Nahrungsmittel wirst du dir erschließen. Manche kannst du einfach so essen, manche dienen als Zutaten für leckere Rezepte. Es gibt sogar Nahrung mit magischen Eigenschaften. Halte stets nach Essbarem Ausschau, denn das richtige Nahrungsmittel im richtigen Augenblick kann dir das Leben retten!

FLUCH & SEGEN

Pass auf, was du isst – und damit meinen wir nicht, wie viele Kekse du verputzt! Manche Lebensmittel belegen dich mit einem Statuseffekt, der sich positiv oder negativ auf dein Wohlbefinden auswirken kann. Verrottetes Fleisch vergiftet dich, während der Verzehr von Milch dich von allen Statuseffekten befreit, auch den positiven.

MAGISCHE EIGENSCHAFTEN

Manche Lebensmittel haben magische Eigenschaften: zum Beispiel die Chorusfrucht. Deren Verzehr teleportiert dich in den allermeisten Fällen an einen zufälligen Ort in der Nähe. Das kannst du dir beim Fallen zunutze machen, da du auf den Boden teleportiert wirst und keinen Fallschaden erleidest.

EFFEKTE

Eine Übersicht der Effekte, die der Verzehr verschiedener Nahrungsmittel mit sich bringen kann.

GEGENGIFT	Heilt Vergiftung.	**VERGIFTUNG**	Verursacht kontinuierlich Schaden.
ABSORPTION	Zusätzliche Herzen auf der Lebensanzeige.	**REGENERATION**	Stellt die Gesundheit kontinuierlich wieder her.
BLINDHEIT	Schränkt die Sichtweite ein.	**WIDERSTAND**	Reduziert jeglichen Schaden.
FEUER-WIDERSTAND	Verhindert Schaden durch Feuer oder Lava.	**TELEPORTATION**	Teleportiert den Spieler zu einem nahen Block.
HUNGER	Leert die Hungeranzeige schneller.	**SCHWÄCHE**	Verringert die Angriffskraft.
SPRUNG-VERSTÄRKUNG	Lässt den Spieler höher springen.	**WITHER**	Verursacht kontinuierlich Schaden.
ÜBELKEIT	Verzerrt den Blick des Spielers.	**SÄTTIGUNG**	Füllt die Hungeranzeige auf und reduziert die Notwendigkeit zu essen.
NACHTSICHT	Verbessert die Sicht im Dunkeln und unter Wasser.		

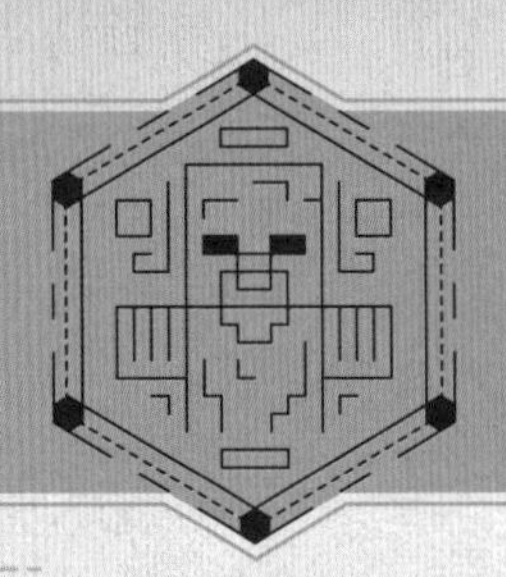

FARMEN: FELDFRÜCHTE

ACKERBAU

Ackerbau ist der einfachste Weg, an Nahrung zu kommen. Es gibt diverse Feldfrüchte, die du anbauen kannst, von Weizen über Rote Bete bis zu Karotten und Kartoffeln. Je nach Produkt setzt du dafür Saatgut oder die Ackerfrucht selbst ein. Hier findest du ein paar nützliche Zutaten für deine Rezepte.

BROT

Weizen selbst kann man nicht essen. Drei Bündel davon auf der Werkbank ergeben aber einen schmackhaften Laib Brot!

FELDFRUCHT	ZUM ANBAUEN	NÄHRWERTE	
WEIZEN	SAMEN	5	
ROTE BETE	ROTE-BETE-SAMEN	1	6
KAROTTE	KAROTTEN	3	6
KARTOFFEL	KARTOFFELN	1	5
MELONE	MELONENKERNE	2	
KÜRBIS	KÜRBISKERNE	8	

ROTE-BEETE-SUPPE

Stelle eine Schüssel aus Brettern her und gib für diese nahrhafte Suppe Rote Bete hinzu.

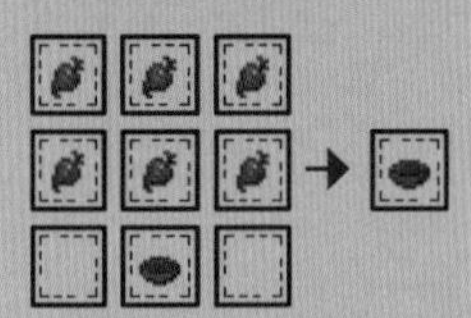

KÜRBISKUCHEN

Wenn du ein Ei und Zucker zur Hand hast, solltest du unbedingt diesen großartigen Kuchen versuchen!

GOLDENE KAROTTE

Diese Prachtexemplare können verzehrt oder weiterverarbeitet werden. Du erhältst sie, indem du acht Goldklumpen mit einer Karotte kombinierst.

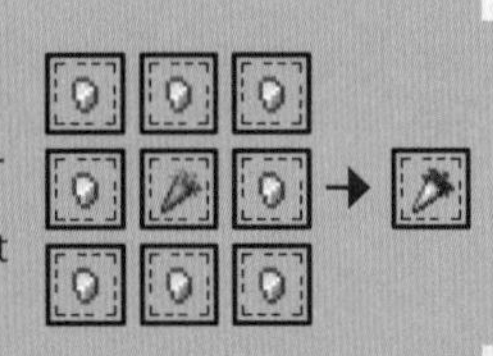

Nahrung ist überlebenswichtig in Minecraft, also solltest du für stetigen Nachschub sorgen, um immer wohlgenährt zu sein. Was könnte es da Besseres als eine Farm geben? Du kannst aber nicht nur Feldfrüchte, sondern auch Nutztiere farmen – oder beides! Die Prozesse lassen sich sogar automatisieren.

WIE MAN FELDFRÜCHTE ANBAUT

Bevor du deine Feldfrüchte anbauen kannst, brauchst du zuerst eine Ackerfläche. Drei Bedingungen müssen fürs Wachstum erfüllt sein: Ackerboden, Wasser und Licht. Unser Beispiel einer simplen Farm bietet alles, was du als angehender Landwirt brauchst.

LICHT

Ohne Licht wächst nichts. Die Sonne sorgt tagsüber fürs Gedeihen deiner Feldfrüchte, aber du kannst auch Lichtquellen wie Fackeln platzieren, damit es nachts mit der Produktion vorangeht.

ACKERBODEN

Du brauchst Ackerboden, um dein Saatgut auszubringen. Grabe etwas Erde oder Grasblöcke mit deiner Hacke um, um eine Ackerfläche zu schaffen. Sobald das erledigt ist, musst du nur noch die Saat ausbringen und deinen Erzeugnissen beim Wachsen zusehen.

WASSERQUELLE

Platziere eine Wasserquelle auf deinem Ackerboden, indem du einen Eimer Wasser in ein Loch schüttest. Das hält die Erde fruchtbar und bietet bis zu vier Blöcken in beliebiger Richtung weiter Feuchtigkeit.

FELDFRÜCHTE ERNTEN

Sobald sie schön reif sind, kannst du deine selbst angebaute Nahrung ganz einfach ernten, indem du auf die Feldfrüchte klickst. Einige davon kannst du roh verspeisen, aber andere wie beispielsweise Weizen müssen erst in leckeren Rezepten weiterverarbeitet werden.

PROFITIPP

Knochenmehl als Dünger lässt deine Ackerpflanzen schneller wachsen. Stelle das Mehl aus Knochen her und streue es auf dein Saatgut für optimale Ergebnisse.

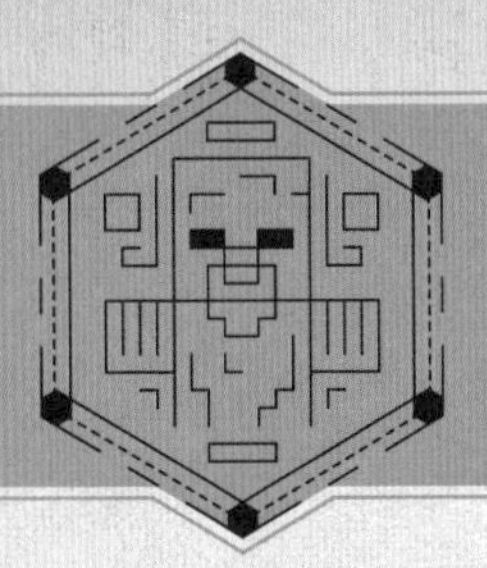

FARMEN: NUTZTIERE

FLEISCHPRODUKTION

Um Fleisch zu erhalten, musst du ein Tier schlachten, damit es seine Gegenstände hinterlässt. Tiere findest du überall in der Oberwelt, aber wenn du eine stetige Nahrungsversorgung sicherstellen möchtest, solltest du eine Farm bauen und eigene Tiere züchten – sonst musst du in freier Wildbahn nach ihnen suchen, wenn du schon am Verhungern bist.

PROFITIPP

Ist dein Bogen mit Flamme verzaubert – oder dein Schwert mit Verbrennung –, erhältst du gleich gebratenes Fleisch.

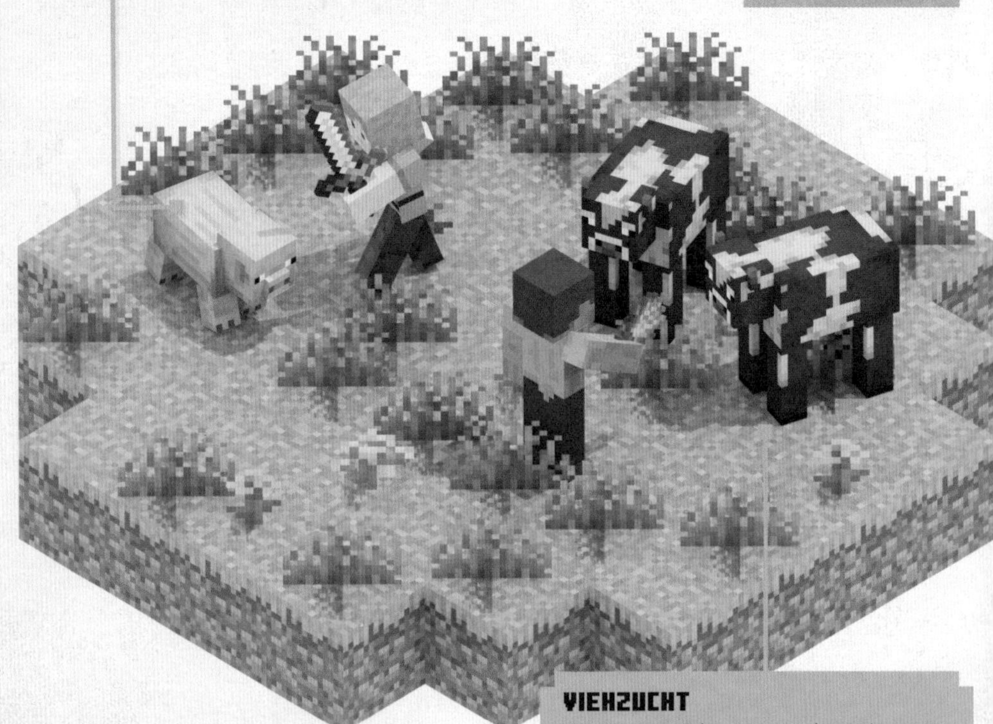

VIEHZUCHT

Um Tiere zu züchten, musst du zwei ausgewachsene Artgenossen finden und sie mit ihrer Lieblingsnahrung füttern. Daraufhin paaren sie sich. Züchte fleißig weiter und produziere Jungtiere, bis du eine stattliche Herde hast. Tiere paaren sich nur alle fünf Minuten, du musst also etwas Geduld mitbringen!

PROFITIPP

Jungtiere hinterlassen nichts. Es dauert 20 Minuten, bis sie ausgewachsen sind, du kannst sie aber füttern, um den Prozess zu beschleunigen.

Viehzucht verhilft dir zu einer nahrhafteren Nahrungsquelle, kostet dich aber auch mehr Arbeit als Ackerbau. Bevor du dich an Fleisch erfreuen kannst, musst du erst mal ordentlich Vieh züchten, damit dir nicht die Tiere ausgehen. Als Nebenprodukt erhältst du aber viele nützliche Gegenstände, die du weiterverarbeiten kannst.

FLEISCH BRATEN

Das meiste Fleisch kannst du roh essen, gebraten gibt es dir aber wesentlich mehr Hunger- und Sättigungspunkte zurück. Du kannst es im Ofen, Räucherofen oder am Lagerfeuer zubereiten. Ein Räucherofen bereitet Fleisch doppelt so schnell wie ein Ofen zu, du erhältst dafür aber nur die Hälfte an Erfahrung. Mit einem Lagerfeuer kannst du vier Gegenstände gleichzeitig erhitzen, ohne dafür Brennstoff zu benötigen.

EINTÖPFE

Eintöpfe sind nahrhafter als Fleisch, verbrauchen aber mehr Ressourcen. Zunächst musst du eine Schüssel aus drei Brettern herstellen, dann kannst du dich an diesen Rezepten versuchen:

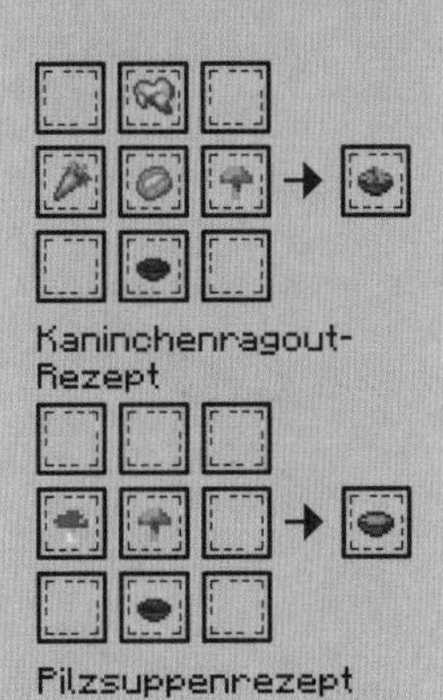

Kaninchenragout-Rezept

Pilzsuppenrezept

TIER	FÜTTERN MIT	NAHRUNGSMITTEL
HUHN	SAMEN MELONENKERNE ROTE-BETE-SAMEN KÜRBISKERNE	2 / 6 *Rohes Hühnchen kann giftig sein und den Hungereffekt auslösen.*
SCHAF	WEIZEN	2 / 6
KANINCHEN	KAROTTEN GOLDENE KAROTTEN LÖWENZAHN	3 / 5
SCHWEIN	KAROTTEN KARTOFFELN ROTE BETE	3 / 8
HOGLIN	KARMESINPILZE	3 / 8
KUH	WEIZEN	3 / 8

Gibst du dem Pilzsuppenrezept noch eine Blume hinzu, erhältst du eine Verdächtige Suppe mit einem bestimmten Statuseffekt!

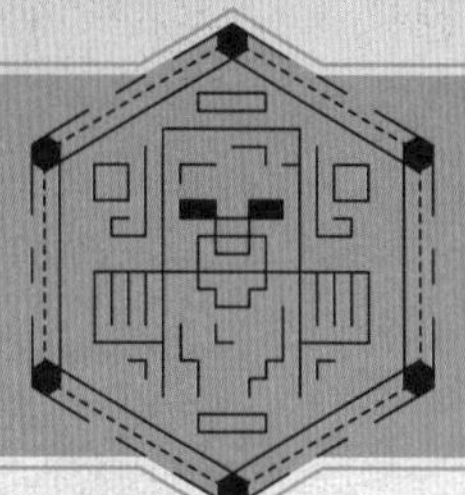

TAG 1

1 Suche einen Baum und schlag mit deinen Fäusten darauf ein, um 4 Baumstämme zu erhalten.

2 Öffne dein Inventar und nutze das Handwerksfeld, um aus den 4 Baumstämmen 16 Bretter zu machen.

3 Baue im Handwerksfeld aus 4 Brettern eine Werkbank.

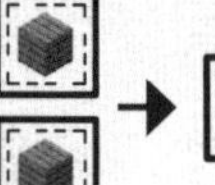

4 Platziere die Werkbank vor dich.

5 Stelle auf der Werkbank aus 4 Brettern 8 Stöcke her.

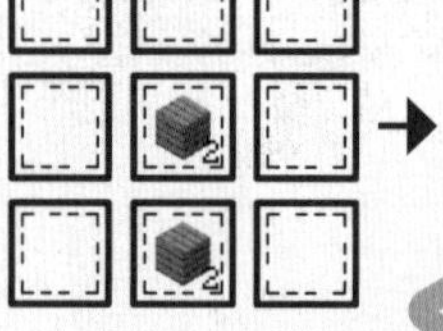

6 Aus den Stöcken und den verbliebenen Brettern fertigst du eine Holzspitzhacke, eine Holzaxt und ein Holzschwert.

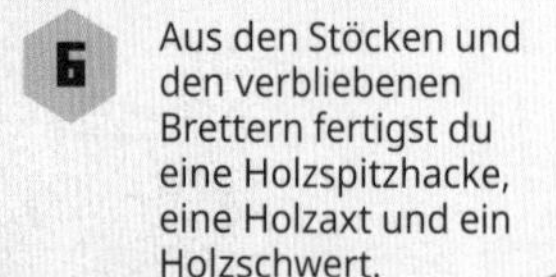

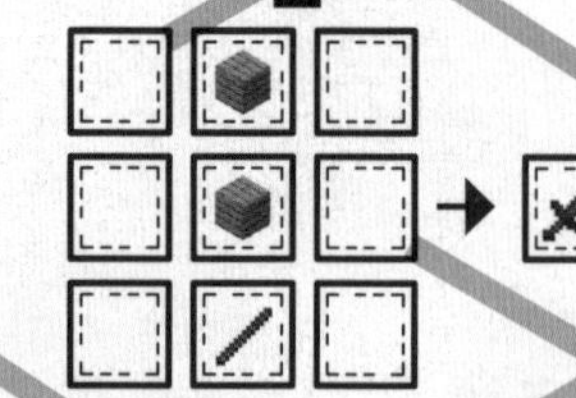

Du kennst jetzt die Grundlagen, also hinein ins Vergnügen! Dein erster Tag in der Oberwelt wird eine Herausforderung, aber wenn du schnell agierst und fleißig Ressourcen sammelst, solltest du vor Sonnenuntergang in Sicherheit sein. Unsere Schritt-für-Schritt-Anleitung hilft dir bei deinem ersten großen Minecraft-Abenteuer.

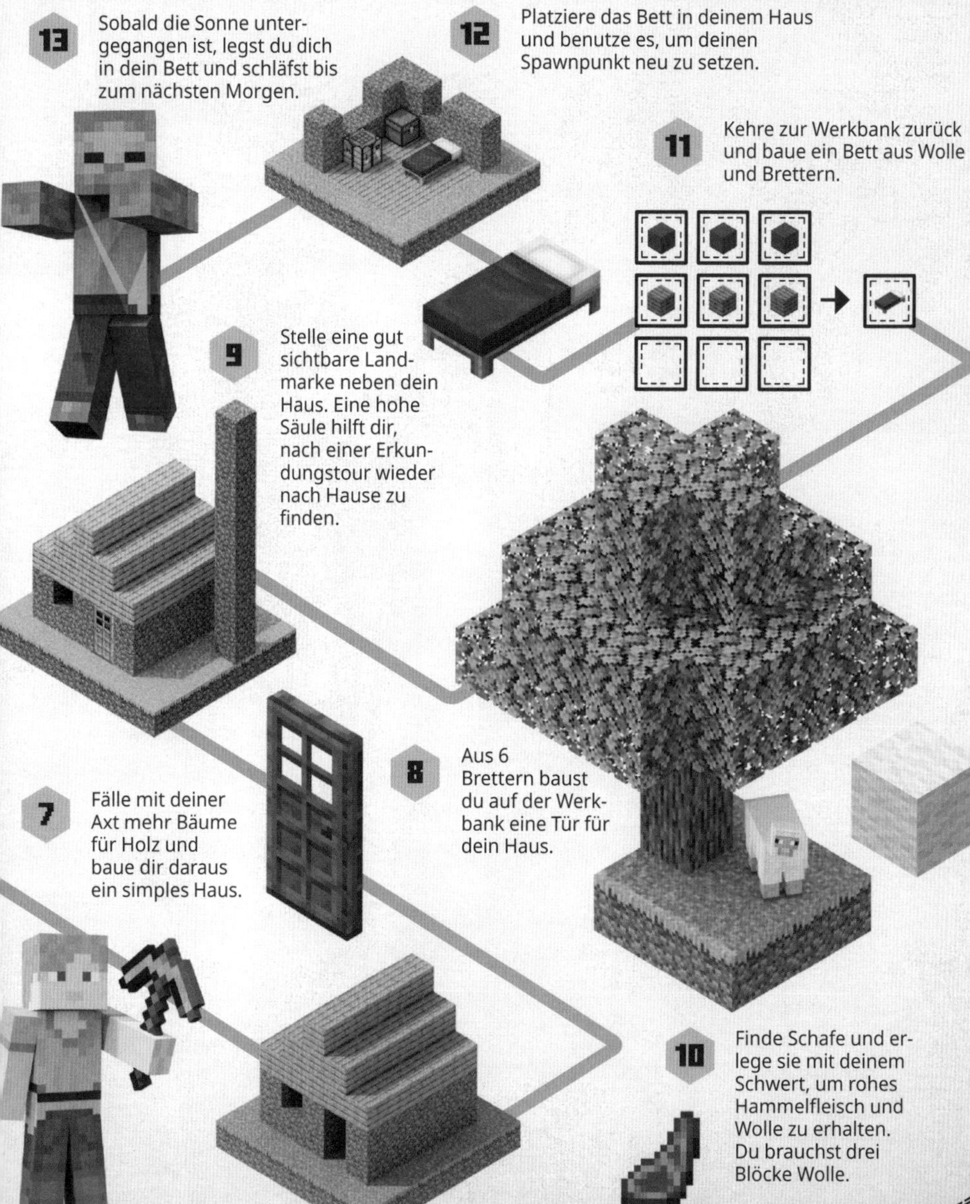

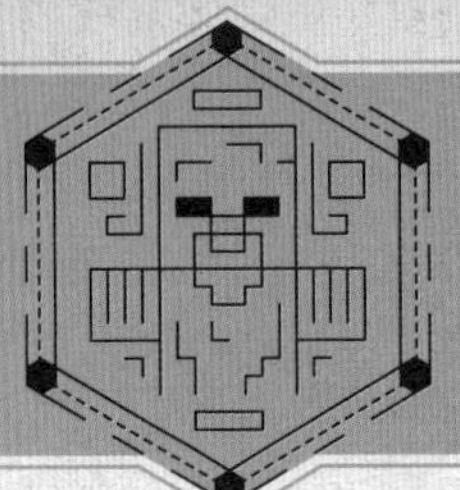

TAG 2

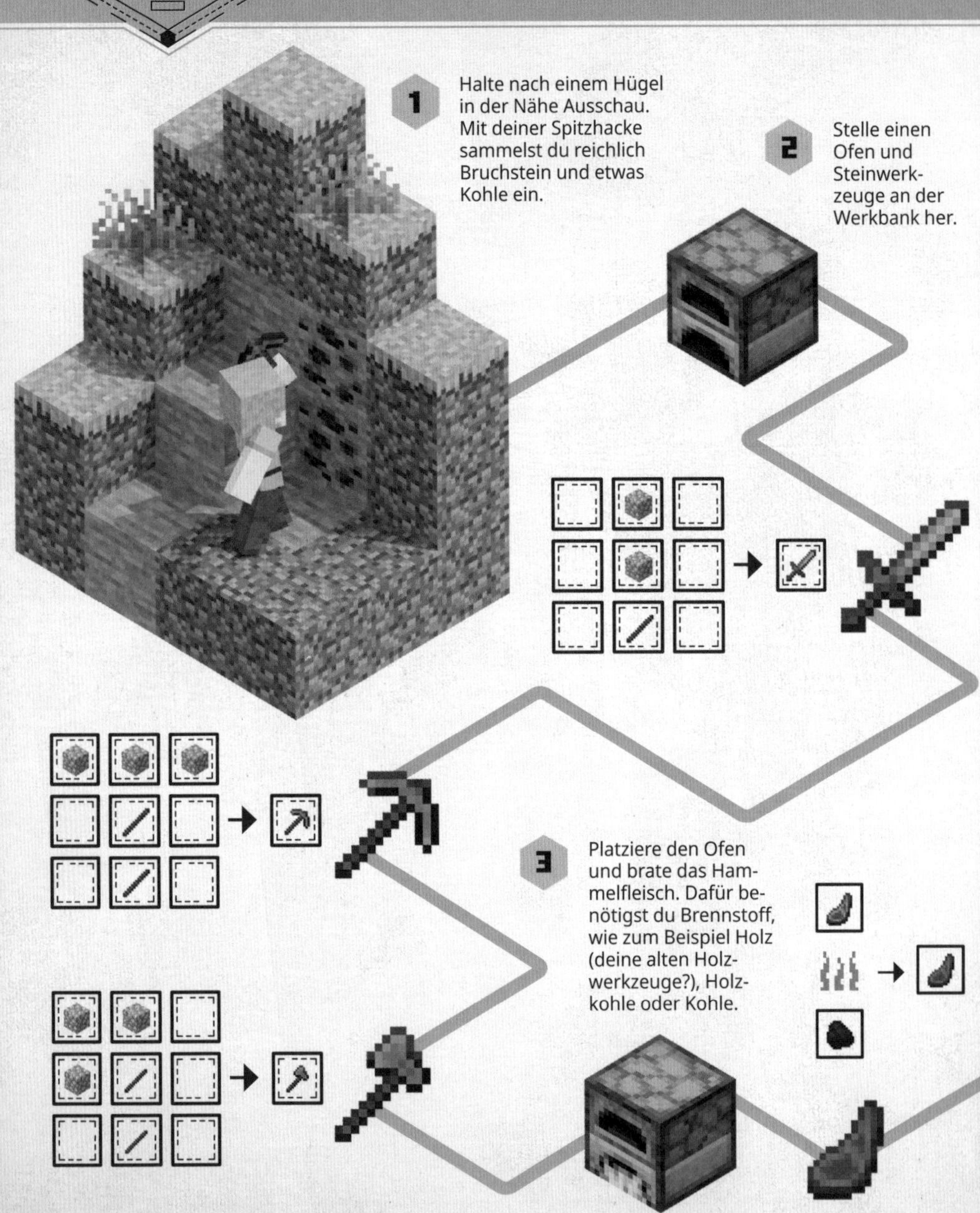

1 Halte nach einem Hügel in der Nähe Ausschau. Mit deiner Spitzhacke sammelst du reichlich Bruchstein und etwas Kohle ein.

2 Stelle einen Ofen und Steinwerkzeuge an der Werkbank her.

3 Platziere den Ofen und brate das Hammelfleisch. Dafür benötigst du Brennstoff, wie zum Beispiel Holz (deine alten Holzwerkzeuge?), Holzkohle oder Kohle.

Gut gemacht – du hast die erste Nacht überstanden! Aber das war erst der Anfang deiner Abenteuerreise. Baue deine Basis weiter aus, indem du nach neuen Materialien und – ebenso wichtig – Nahrung suchst! Die Welt steckt voller Ressourcen, die deinen Hunger stillen und Baumaterial für dein Zuhause bieten.

8 Finde eine Höhle und begib dich unter die Erde, um Eisen zu finden – mit Fackeln erleuchtest du den Weg. Mit der Steinspitzhacke kannst du Eisenerz bearbeiten und Roheisen abbauen.

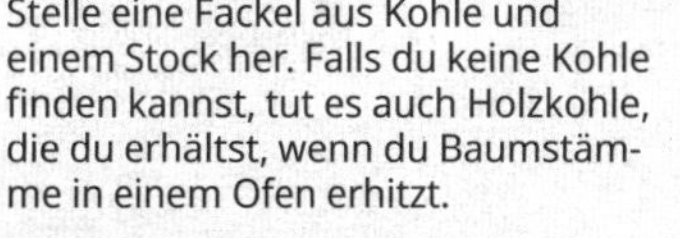

7 Stelle eine Fackel aus Kohle und einem Stock her. Falls du keine Kohle finden kannst, tut es auch Holzkohle, die du erhältst, wenn du Baumstämme in einem Ofen erhitzt.

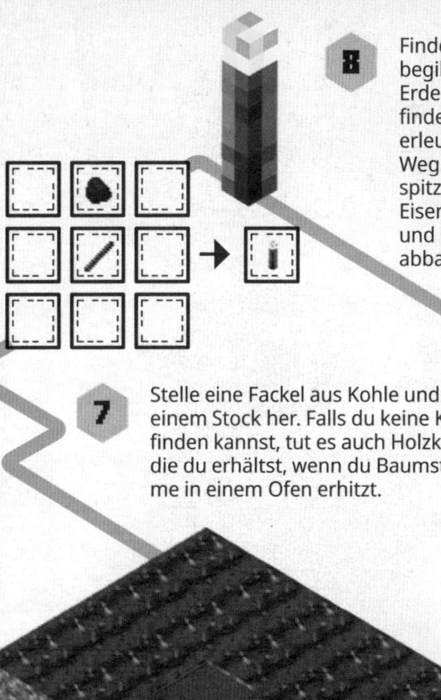

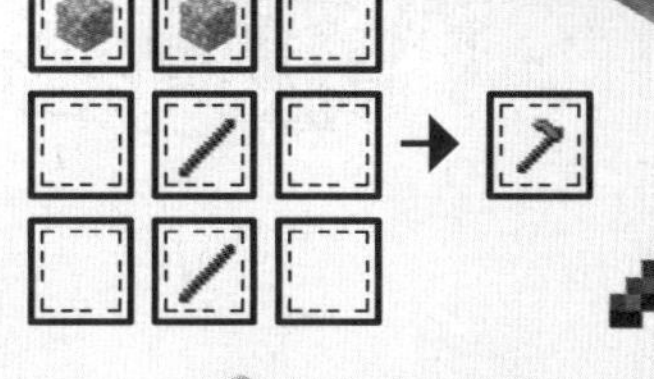

6 Suche nach einer nahen Wasserquelle und wandle rund um die Wasserstelle mit einer Hacke Grasblöcke in Ackerboden um. Bringe jetzt dein Saatgut aus.

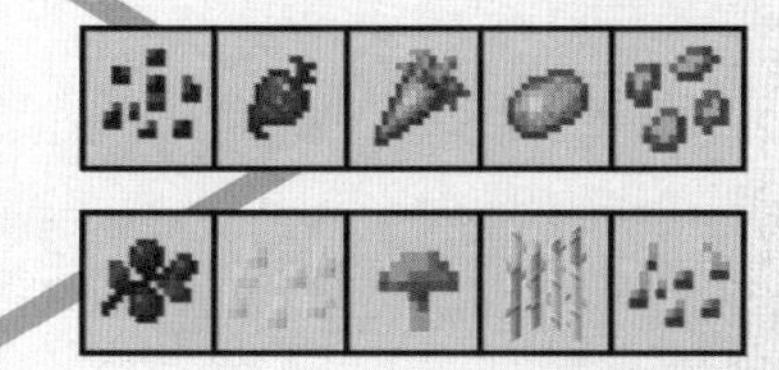

4 Iss das gebratene Fleisch, um deine Hungeranzeige aufzufüllen.

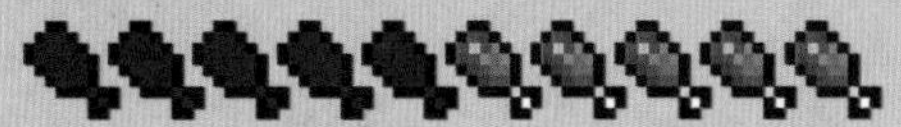

5 Suche die Umgebung nach nützlichen Ressourcen ab. Sammle alles an Saatgut und Gemüse ein, was du finden kannst, um schnell Landwirtschaft zu betreiben.

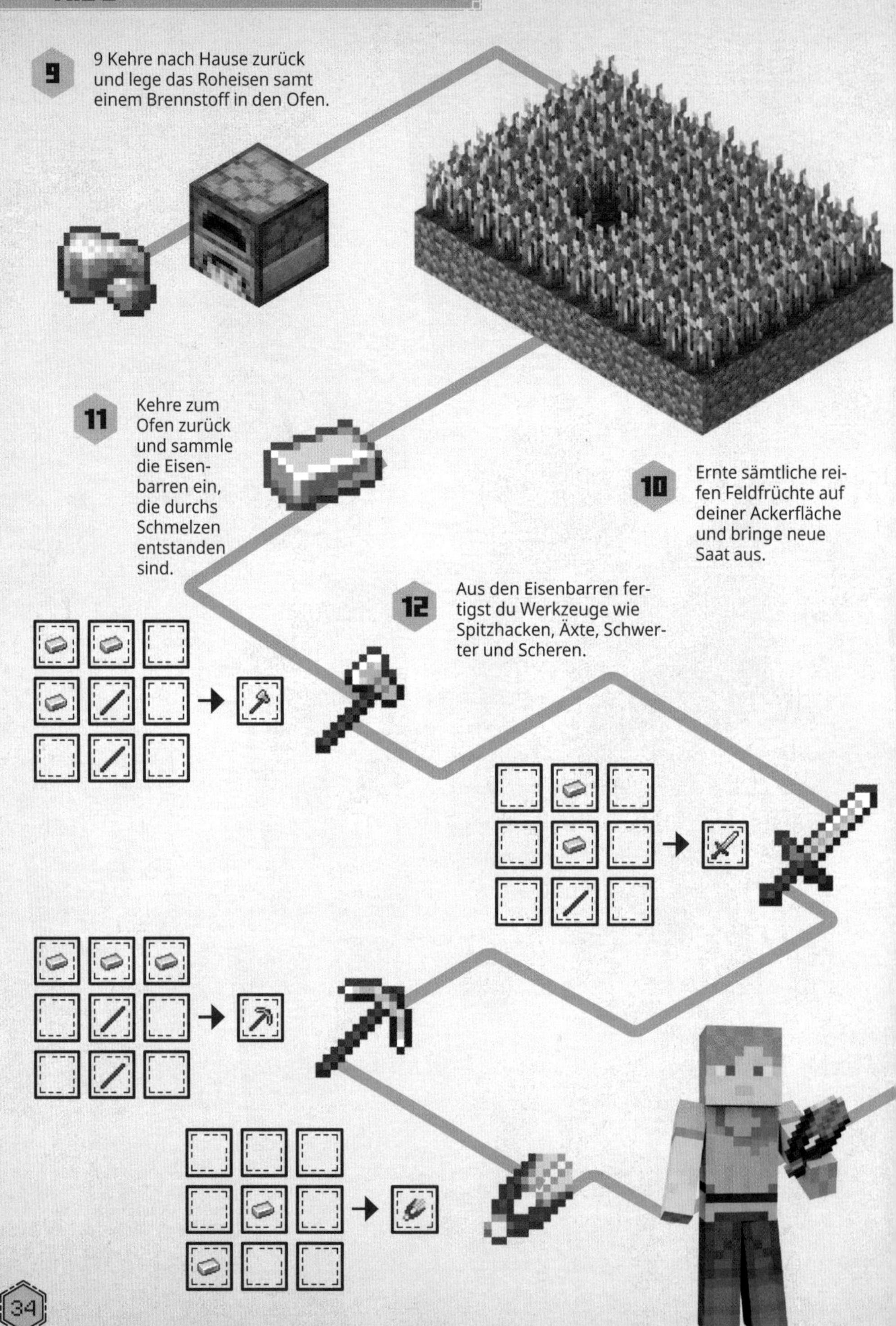
9
9 Kehre nach Hause zurück und lege das Roheisen samt einem Brennstoff in den Ofen.
11
Kehre zum Ofen zurück und sammle die Eisenbarren ein, die durchs Schmelzen entstanden sind.
10
Ernte sämtliche reifen Feldfrüchte auf deiner Ackerfläche und bringe neue Saat aus.
12
Aus den Eisenbarren fertigst du Werkzeuge wie Spitzhacken, Äxte, Schwerter und Scheren.

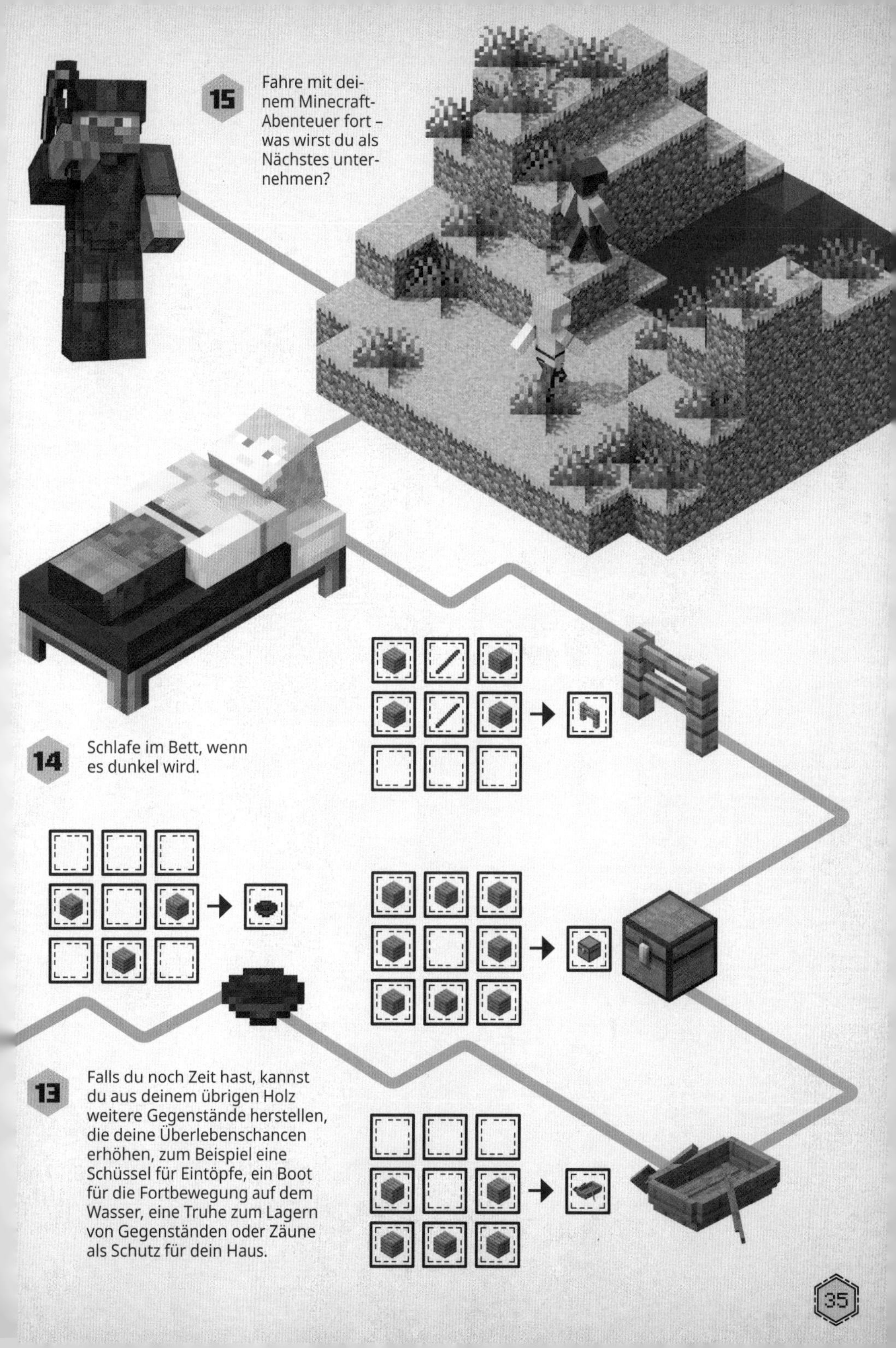

15 Fahre mit deinem Minecraft-Abenteuer fort – was wirst du als Nächstes unternehmen?

14 Schlafe im Bett, wenn es dunkel wird.

13 Falls du noch Zeit hast, kannst du aus deinem übrigen Holz weitere Gegenstände herstellen, die deine Überlebenschancen erhöhen, zum Beispiel eine Schüssel für Eintöpfe, ein Boot für die Fortbewegung auf dem Wasser, eine Truhe zum Lagern von Gegenständen oder Zäune als Schutz für dein Haus.

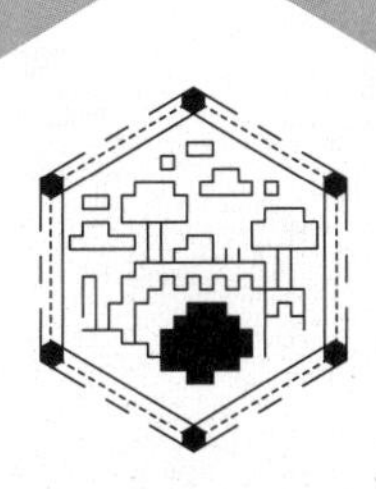

HINEIN INS SPIEL

Jetzt, wo deine Welt steht, ist es an der Zeit, sie zu erkunden. Es gibt so unglaublich viel in Minecraft zu entdecken und es ist vollkommen dir überlassen, was du als Erstes erforschen willst. In dieser Sektion des Buchs schauen wir uns an, was diese blockige Welt zu bieten hat, von Biomen und generierten Strukturen bis zur Kunst des Brauens und Verzauberns – wohin wird deine abenteuerliche Reise gehen?

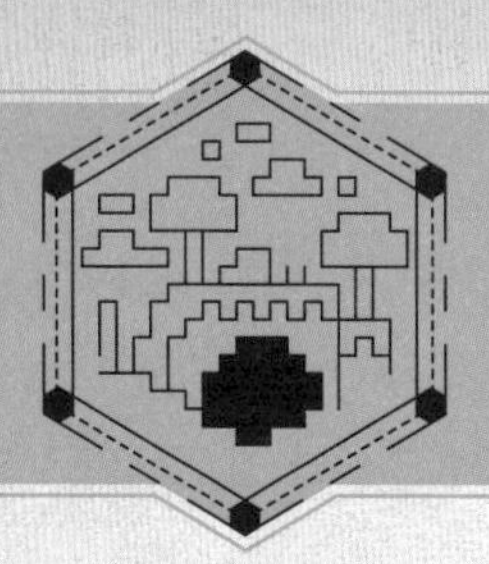

BIOME: OBERWELT

BIOMÜBERGÄNGE

An den Rändern zweier benachbarter Biome sind oft einzigartige Landschaftsmerkmale vorzufinden.

WÜSTE

Dieses warme Biom besteht hauptsächlich aus Sand und hat an Vegetation nur vereinzelte Kakteen und tote Büsche zu bieten, was das Überleben nicht gerade erleichtert. Erwartungsgemäß sind Wasserstellen Mangelware, während Lavaseen recht häufig vorkommen.

DSCHUNGEL

Ein seltenes Biom, das reich an Flora und Fauna ist. Dschungel bieten ein dichtes Baumkronendach und beheimaten Riesentropenbäume, deren Stämme 2 × 2 Blöcke messen und die eine Höhe von bis zu 31 Blöcken erreichen können. Die dichten Tropenwälder machen es schwierig, in diesem Biom zu bauen.

Die Oberwelt ist die Dimension, in der du in einem neuen Spiel zuerst erscheinst. Eine Welt mit blauem Himmel und weißen Wolken, unter denen viele Biome mit unterschiedlichen Landschaften und einzigartiger Flora und Fauna liegen, die nur darauf warten, von dir entdeckt zu werden. Sehen wir uns doch ein paar der Biome etwas genauer an.

WALD

Wälder sind eine beliebte Wahl als Startpunkt eines neuen Überlebensabenteuers, da sie reich an Eichen und Birken sind und jede Menge Blumen und Tiere aufweisen. Sie sind auch eines der häufigsten Biome.

SAVANNE

Dieses durchweg flache Biom bietet ein warmes Klima und ist frei von Regen, was die Gefahr eines Gewitters ausschließt – Wolken gibt es aber. Hier findet man tolle Ressourcen, wie zum Beispiel Akazien als Holzquelle, Pferde als Reit- und Lamas als Lasttiere.

EBENE

Wohl das beliebteste Biom, um eine Welt im Überlebensmodus zu starten, das weitläufige offene Flächen und üppige Fauna als Nahrungsquelle bietet. Aufgrund der Landschaft ist es auch relativ einfach, nahe Dörfer zu erspähen, da man hier weit in die Ferne blicken kann.

TUNDRA

Diese kalten und schneereichen Biome bieten weniger Bäume und Kreaturen als andere Biome und stellen eine echte Herausforderung im Überlebensmodus dar. Ihr weitläufiges und flaches Land lädt aber zum Bauen ein.

TAFELBERGE

Dieses seltene warme Biom besteht hauptsächlich aus rotem Sand und Canyons aus erdfarbener Keramik. Tafelberge sind nicht einfach zu finden, lohnen sich aber aufgrund ihres reichen Vorkommens an Golderz. Die Vegetation ist mit ihren Kakteen und toten Büschen allerdings ähnlich karg wie in Wüsten.

SUMPF

Flache Biome mit moorigen seichten Gewässern und einer Fauna mit vielen Fröschen. Schleime kommen hier am häufigsten vor, vor allem bei Vollmond.

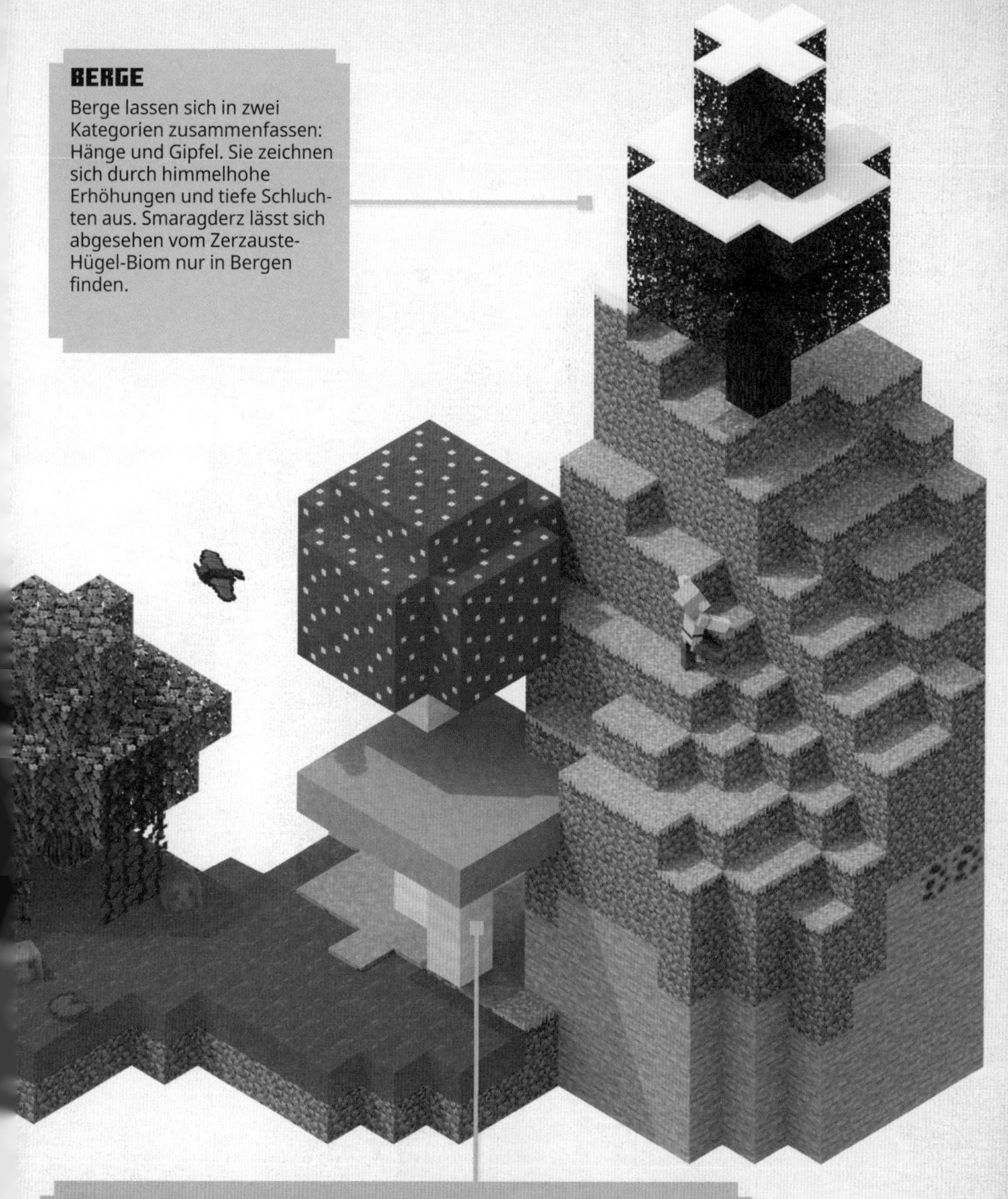

BERGE

Berge lassen sich in zwei Kategorien zusammenfassen: Hänge und Gipfel. Sie zeichnen sich durch himmelhohe Erhöhungen und tiefe Schluchten aus. Smaragderz lässt sich abgesehen vom Zerzauste-Hügel-Biom nur in Bergen finden.

PILZLAND

Das seltenste und wohl bizarrste Biom in der Oberwelt tritt meist in der Form von Inseln auf. Anstatt Gras und Bäumen ist das Land mit Myzel überzogen und wird von Riesenpilzen geziert. Pilzländer sind auch die Heimat der Pilzkühe – eine seltsame mit Pilzen bedeckte Kuhart.

TAIGA

Dieses Biom ähnelt Wäldern, ist jedoch kälter, weist eine bläuliche Färbung mit dunklen Gewässern auf und ist voller Farne und Fichten. Man findet hier vereinzelt Süße-Beeren-Sträucher, Kürbisse und Füchse.

STRAND

Wo immer ein Ozean auf Festland trifft, wird je nach Höhe und Klima des benachbarten Bioms eine von drei Strandvarianten generiert: Strand, Felsküste oder Verschneiter Strand. Unter dem Sand lassen sich oft Vergrabene Schätze finden und große Kupfererzadern sind häufig.

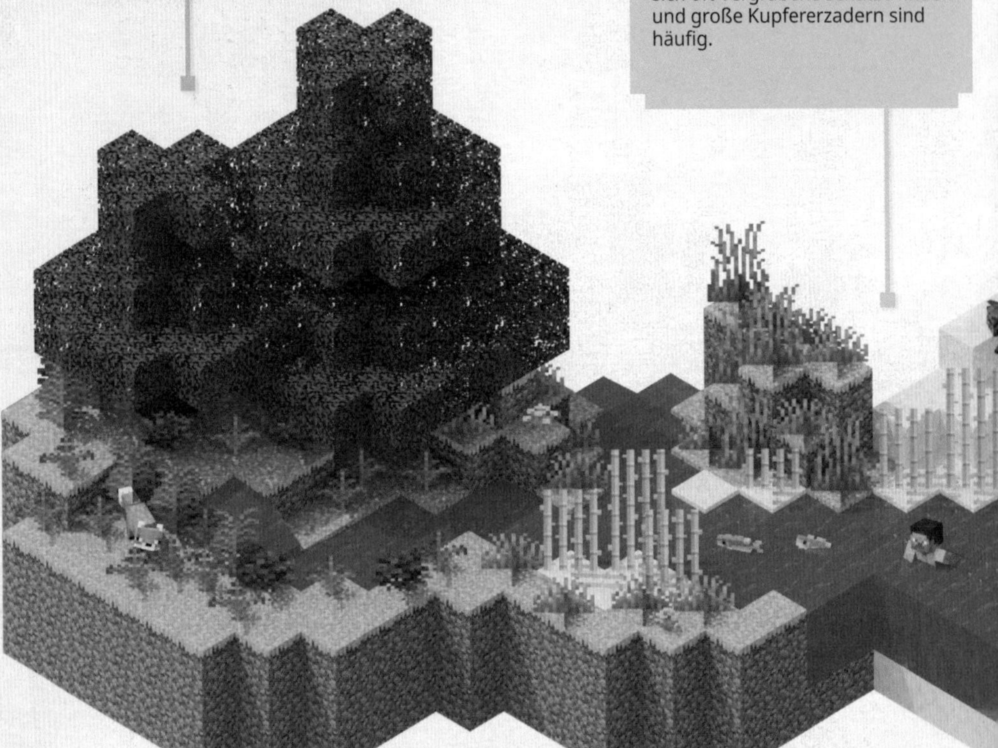

FLUSS

Dünne, lange und kurvige Flussbiome entstehen häufig zwischen Biomen und münden entweder in einen Ozean oder anderen Fluss. Sie bieten reichlich Wasser, Sand, Kies und Ton, was sie zu ressourcenreichen Startpunkten für Überlebenskünstler macht.

OZEAN

Genau wie in der realen Welt decken Ozeane einen großen Bereich der Oberwelt ab – hier ist es knapp ein Drittel! Dieses Biom reicht bis zum Meeresgrund, was es riesig macht. Überleben ist möglich, aber herausfordernd. Fische und Seetang-Wälder liefern Nahrung, Schluchten und Höhlen eignen sich für Bergbau.

SELTENE VARIANTE

Früher oder später stolperst du vielleicht über eine Eiszapfentundra. Dabei handelt es sich um eine seltene Variante der Verschneiten Ebene mit riesigen Eiszapfen, die aus dem Boden ragen. Bäume oder Gebäude suchst du hier vergebens – es gibt kaum einen gnadenloseren Ort auf der Oberwelt.

VERSCHNEITE EBENE

In diesem schneebedeckten Ebenen-Biom fällt das Überleben schwer, denn frostiger Schnee und rutschiges Eis erschweren das Vorankommen. Nur wenige Tiere leben hier und Ackerbau ist eine Qual, da Wasserquellen schnell zu Eis gefrieren, was dich vor ein Bewässerungsproblem stellt.

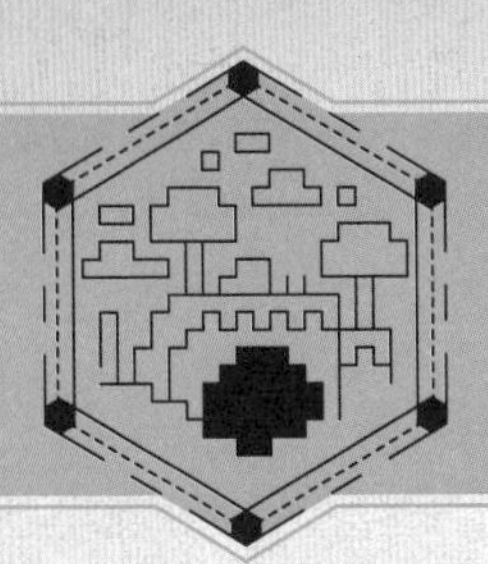

GENERIERTE STRUKTUREN: OBERWELT

DORF

Auf der Oberwelt finden sich überall Gemeinden. Die meisten Biome haben Dörfer, deren Bewohner nützlichen Berufen nachgehen. Du kannst mit ihnen handeln und deine Ressourcen gegen nützliche Blöcke, Gegenstände und Werkzeuge tauschen.

WÜSTENTEMPEL

Diese großen Sandsteingebäude findest du in Wüstenbiomen. Wenn du sie durchsuchst, wirst du auf eine Schatzkammer mit vier Truhen stoßen. Aber aufgepasst: Sie wird durch eine TNT-Falle geschützt!

DSCHUNGELTEMPEL

Diese Bruchsteinbauten sind mit Tropenbaumblättern und Ranken überwuchert und befinden sich in Dschungelbiomen. Im Inneren wartet ein Redstone-Rätsel, dessen Lösung den Spieler mit zwei gut gefüllten Truhen belohnt.

Auf deinen Streifzügen durch die Biome wirst du auf viele vom Spiel generierte Strukturen stoßen – Gebäude, die meistens bewohnt sind. Diese Bauten werden dir an Land, unter der Erde oder auch unter Wasser begegnen. Sie aufzuspüren kann sich lohnen, doch Vorsicht! Sie stecken auch voller Gefahren.

WALDANWESEN

Ein riesiges Haus aus Schwarzeichenholz mit drei Stockwerken, etlichen Räumen und zahlreichen Truhen. Du findest die Anwesen mit Entdeckerkarten. Aber sei auf der Hut: Sie werden von Dienern und Magiern gehütet.

PLÜNDERER-AUSSENPOSTEN

Halte nach diesen Außenposten Ausschau – sie werden zwar von Plünderern mit Armbrüsten bewacht, beherbergen aber manchmal Käfige mit Eisengolems oder Helferlein und sind reich an Ressourcen. Das könnte sich lohnen!

FESTUNG

Festungen befinden sich tief unter der Erde und sind Labyrinthe aus Steinziegeln. Viele Räume laden zum Erkunden ein und irgendwo wartet auch ein Portalraum mit einem inaktiven Endportal, das du instand setzen kannst, um das Ende zu erreichen.

OZEANMONUMENT

Diese gigantischen Prismarinstrukturen findest du in der Tiefsee. Sie beheimaten Wächter und Wächterälteste, die jeden Eindringling verjagen. Im Inneren befindet sich aber ein Raum mit acht Goldblöcken und man findet darin auch Schwämme, die perfekt sind, um Wasser aufzusaugen.

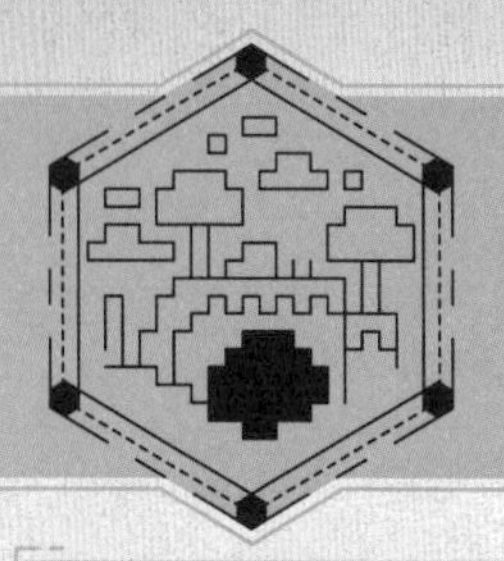

KREATURENBEGEGNUNGEN: OBERWELT

INTERAKTIONEN MIT KREATUREN

Ganz egal, wie du den Überlebensmodus spielst, mit den Kreaturen zu interagieren, wirkt sich vorteilhaft auf dein Spiel aus. Ob passiv, neutral oder aggressiv, jede dieser Kreaturen bietet einzigartige Belohnungen.

ERSCHEINEN

Kreaturen erscheinen auf der ganzen Oberwelt abhängig vom Lichtlevel. Generell gilt die Regel, dass passive (friedliche) und neutrale Kreaturen in hellen Bereichen und aggressive (gefährliche) Kreaturen in dunklen Bereichen auftauchen.

ERFAHRUNG & HINTERLASSENES

Bezwungene Kreaturen können Erfahrungskugeln und Gegenstände hinterlassen, die du für Handwerksrezepte und zum Verzaubern von Gegenständen (siehe Seite 66) einsetzen kannst. Manche der hinterlassenen Gegenstände bekommst du nur so.

ZÄHMEN

Tiere wie Katzen, Pferde und Lamas können gezähmt und zu loyalen Gefährten gemacht werden, indem man ihnen ihr Lieblingsfutter gibt. Andere Tiere wie Axolotl und Füchse können zumindest dazu gebracht werden, einem zu vertrauen. Gezähmte Tiere folgen dir – Wölfe, die zu Hunden gemacht wurden, kämpfen sogar an deiner Seite.

ZUCHT

Manche Tiere können gezüchtet werden, indem man ihnen bestimmtes Futter gibt. Fütterst du zwei Artgenossen, bringen sie Jungtiere hervor.

Es wird nicht lange dauern, bis du auf eine der vielen Kreaturen triffst, die die Oberwelt durchstreifen. Manche davon werden zu hilfreichen Gefährten, während andere nichts als deinen Untergang wollen. Doch sie alle werden dir auf deiner Reise von Nutzen sein.

KREATURENLEGENDE

Auf den folgenden Seiten stellen wir dir viele der Kreaturen vor, denen du in Minecraft begegnen wirst. Sie alle haben eigene Gesundheits- und Angriffswerte sowie Gegenstände, die sie beim Ableben hinterlassen, und Futter, mit dem sie gezähmt oder zur Paarung bewegt werden können. Die Symbole in ihren Profilen geben dir Aufschluss über ihre Werte in der Bedrock Edition.

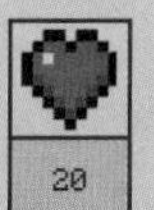

Das Herz gibt die maximalen Gesundheitspunkte einer Kreatur an, also wie viel Schaden sie einstecken kann, bevor sie besiegt ist.

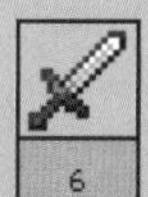

Das Schwert gibt den maximalen Schaden an, den dir die Kreatur im Nahkampf auf dem Schwierigkeitsgrad „Normal" zufügen kann. Auf „Schwer" mag er höher sein.

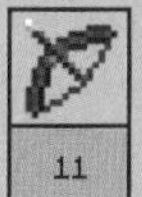

Pfeil und Bogen geben den maximalen Schaden an, den dir die Kreatur im Fernkampf auf dem Schwierigkeitsgrad „Normal" zufügen kann. Auf „Schwer" mag er höher sein.

Manche Kreaturen tragen Rüstungsteile, um sich zu schützen. Dieser Wert gibt die Rüstungspunkte an, die sie dadurch erhalten.

Pfeil
Rote Bete
Lohenrute
Knochen
Knochenmehl
Schüssel
Brot
Karotte
Kohle
Kupferbarren
Armbrust
Löwenzahn
Ei
Smaragd
Zauberbuch
Enderperle

Erfahrungskugel
Feder
Blumen
Glasflasche
Glühbeeren
Glowstone-Staub
Ziegenhorn
Goldaxt
Goldene Karotte
Goldschwert
Schießpulver
Eisenbarren
Leder
Magmacreme
Schallplatte
Nautilusmuschel

Illager-Banner
Phantommembrane
Mohn
Kartoffel
Kugelfisch
Hasenpfote
Kaninchenfell
Rohes Rindfleisch
Rohes Hühnchen
Roher Kabeljau
Rohes Schweinekotelett
Rohes Kaninchen
Roher Lachs
Redstone-Staub
Verrottetes Fleisch
Sattel

Hornschuppe
Seegras
Shulkerhülle
Kopf/Schädel
Spinnenauge
Stock
Faden
Zucker
Süße Beeren
Totem der Unsterblichkeit
Dreizack
Tropenfisch
Weizen
Witherskelettschädel

PASSIVE KREATUREN

Diese Kreaturen sind harmlos und werden dich nicht angreifen, selbst wenn du sie provozierst. Die meisten davon können gezähmt und zur Paarung bewegt werden, was sie als Gefährten und Nutztiere äußerst nützlich macht.

DORFBEWOHNER

Hilfsbereite Zeitgenossen, die Waren gegen Smaragde tauschen.

Gesundheit	Rüstung
20	2

Paaren

SCHAF

Die einzige natürliche Quelle für Wolle, die für Betten, Teppiche und dekorative Zwecke nötig ist. Kommt meist in grasreichen Biomen vor.

Gesundheit
8

Paaren | Hinterlässt

LACHS

Großartig als Nahrung und in Ozeanen und Flüssen anzutreffen.

Gesundheit
6

Hinterlässt

MEERESSCHILDKRÖTE

Dieses aquatische Tier kehrt zum Eierlegen an seinen Heimatstrand zurück und wirft ausgewachsen seine Hornschuppe ab.

Gesundheit
30

Paaren | Hinterlässt

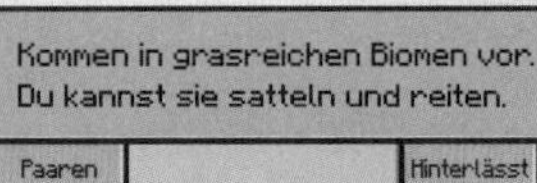

HUHN

Flugunfähiger Vogel, der in grasreichen Gebieten vorkommt und dir folgt, wenn du Saat in der Hand hältst.

4

Paaren

Hinterlässt

SCHWEIN

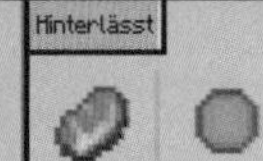

Kommen in grasreichen Biomen vor. Du kannst sie satteln und reiten.

10

Paaren

Hinterlässt

KANINCHEN

Kaninchen hoppeln ziellos herum und lieben Karotten so sehr, dass sie dafür sogar von Klippen springen.

3

Paaren

Hinterlässt

KUH

Dieses Tier kommt in fast allen grasreichen Biomen vor und kann mit einem Eimer gemolken werden.

10

Paaren

Hinterlässt

KATZE

Creeper sind keine Katzenliebhaber und meiden sie. Katzen nähern sich dir, wenn du rohen Fisch in der Hand hältst.

10

Paaren/Zähmen

Hinterlässt

PFERD

Geduld ist gefragt, wenn du dieses Tier zähmen möchtest – du musst mehrmals aufsteigen, bis es dich nicht mehr abwirft. Erst dann kannst du es satteln und reiten.

Paaren

Hinterlässt

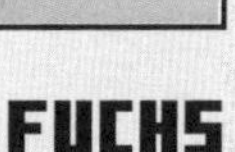

FUCHS

Nachtaktives Tier, das seine Beute anspringt und einen Gegenstand im Maul tragen kann.

20

Paaren/Zähmen

Hinterlässt

NEUTRALE KREATUREN

Neutrale Kreaturen sind für gewöhnlich harmlos, greifen Spieler aber an, wenn sie provoziert werden. Manche fühlen sich nur durch Angriffe provoziert, andere hingegen auch auf andere Weise.

EISBÄR

Den süßen Eisbärjungen solltest du nicht zu nahe kommen, die Eltern könnten angreifen.

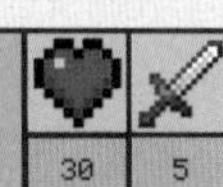

♥	⚔
30	5

Hinterlässt

ZIEGE

Bergtier, das besonders hoch springen und andere Kreaturen und Spieler rammen kann.

♥	⚔
10	2

Paaren

Hinterlässt

SPINNE

Erschreckend große Spinne, die jedoch nur bei mangelndem Licht aggressiv ist.

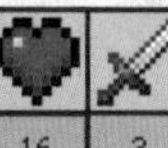
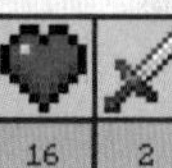

♥	⚔
16	2

Hinterlässt

DELFIN

Fütterst du Delfine mit rohem Fisch, führen sie dich zum nächsten Schatz. Spielst du dem Delfin übel mit, kannst du dich mit seiner ganzen Schaule herumschlagen.

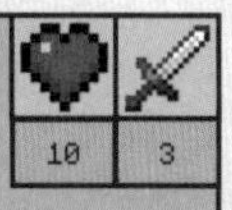

♥	⚔
10	3

Hinterlässt

WOLF

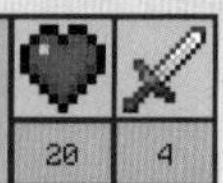

Dieses Wildtier lässt sich zähmen, worauf es dir folgen und an deiner Seite kämpfen wird. Skeletten gegenüber ist es feindselig.	♥	⚔
	20	4

Paaren/Zähmen	Hinterlässt

EISENGOLEM

Diese Krieger verteidigen Spieler und Dorfbewohner vor Aggressoren und können Mohnblumen als Geschenk hinterlassen.	♥	⚔
	100	21,5

Hinterlässt

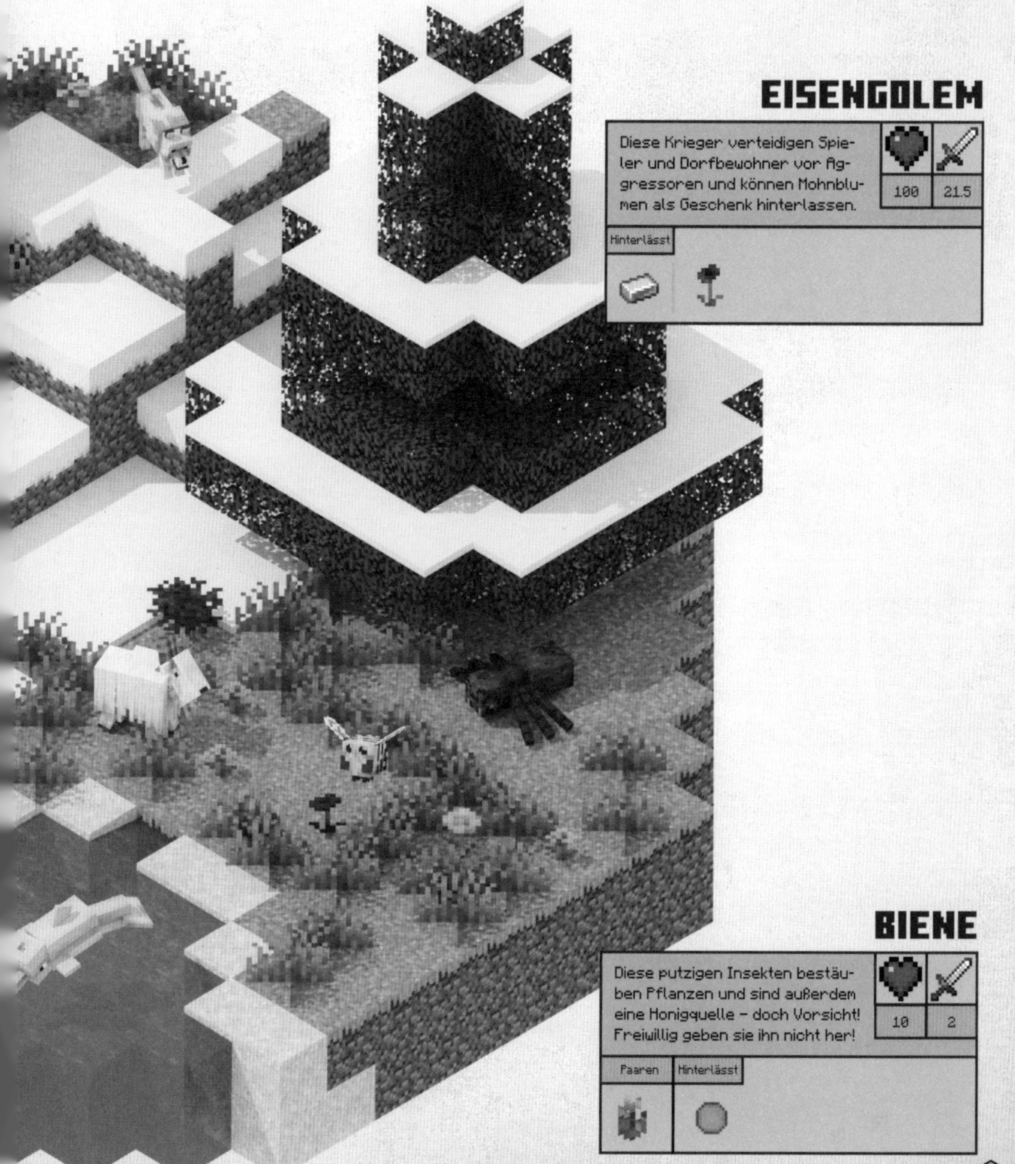

BIENE

Diese putzigen Insekten bestäuben Pflanzen und sind außerdem eine Honigquelle – doch Vorsicht! Freiwillig geben sie ihn nicht her!	♥	⚔
	10	2

Paaren	Hinterlässt

AGGRESSIVE KREATUREN

Natürlich sind nicht alle Kreaturen friedlich – manche greifen dich an, sobald sie dich nur sehen. Verschiedene Biome und Bauten können unterschiedliche Gefahren bergen. Etwas Glück vorausgesetzt, hinterlässt eine gerüstete Kreatur sogar ihre Ausrüstung beim Ableben.

CREEPER

Dieses Monster schleicht sich an Spieler heran, explodiert und verursacht großen Schaden.

20	85

Hinterlässt

SKELETT

Ein untotes Monster, das mit seinem Bogen Pfeile auf Spieler verschießt.

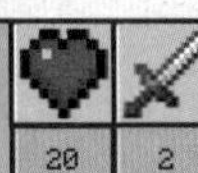

20	2	4

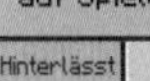

Hinterlässt

WÜSTENZOMBIE

Diese vertrocknete Variante des Zombies schlurft auch bei Tageslicht planlos über den Wüstensand.

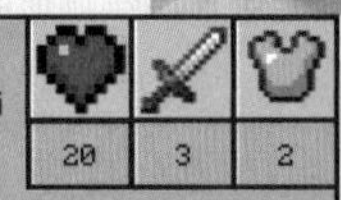

20	3	2

Hinterlässt

ERTRUNKENER

Dieser Unterwasser-Zombie, manchmal mit einem Dreizack bewaffnet, steigt nachts an Land, um Spieler zu terrorisieren.

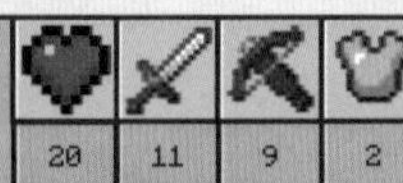

20	11	9	2

Hinterlässt

PHANTOM

Schlafe regelmäßig, denn diese geflügelten Monster erscheinen nach drei Nächten ohne Schlaf.

Gesundheit	Angriff
20	6

Hinterlässt

HEXE

Lass dich nicht von ihrer freundlichen Erscheinung täuschen – sie bewirft dich mit fiesen Tränken!

Gesundheit	Angriff
26	6

Hinterlässt

PLÜNDERER

Illager mit Armbrüsten, die Dörfer überfallen und ressourcenreiche Außenposten bewachen.

Gesundheit	Angriff	Armbrust
24	3	4

Hinterlässt

VERWÜSTER

Diese Bestien erscheinen bei Dorfüberfällen und rammen Feinde mit ihrem Dickschädel. Nur Illager können auf ihnen reiten.

Gesundheit	Angriff
100	12

Hinterlässt

DIENER

Dieser Eisenaxt-schwingende Illager haust in Waldanwesen und nimmt an Überfällen teil.

Gesundheit	Angriff
24	13

Hinterlässt

MAGIER

Sie sind in Waldanwesen und bei Überfällen anzutreffen. Sie kämpfen mit magischen Fangzähnen oder Plagegeistern.

Gesundheit	Angriff	Rüstung
24	6	2

Hinterlässt

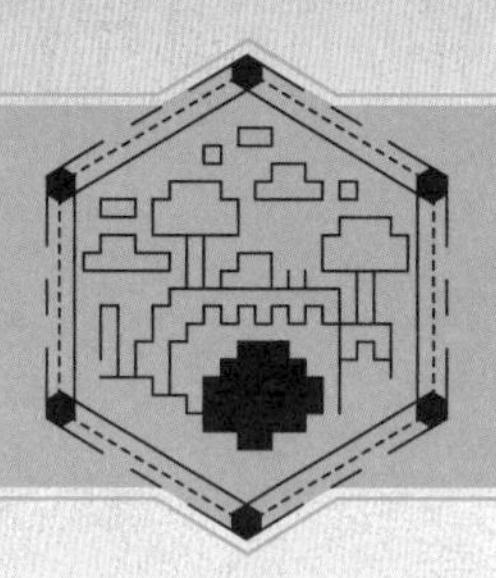

VERTEIDIGE DICH!

RÜSTUNG

Die beste Verteidigung gegen aggressive Kreaturen ist deine Ausrüstung. Jedes Rüstungsteil reduziert kumulativ den Schaden, den dir Monster und andere Gefahren zufügen.

PROFITIPP

Wusstest du, dass ein Spieler ohne Rüstung augenblicklich durch eine Creeper-Explosion getötet werden kann?

Wenn du einen linkshändigen Charakter willst, kannst du die Hände auch tauschen.

RÜSTUNGSPUNKTE

Jedes getragene Rüstungsteil gibt dir Rüstungspunkte, die erhaltenen Schaden reduzieren. Trägst du ein komplettes Rüstungsset desselben Materials, erhältst du sogar Bonuspunkte. Sowohl Diamant- als auch Netherit-Rüstung verleiht dir die maximalen 20 Rüstungspunkte, Netherit schützt aber besser vor starken Angriffen.

Bei all den Gefahren, die dich erwarten, musst du unbedingt auf Konfrontationen vorbereitet sein. Ein gutes Schwert und ein guter Schild helfen dir beim Überleben, aber du kannst noch mehr tun, um dich und dein Zuhause zu schützen. Gute Vorbereitung steigert deine Überlebenschancen beträchtlich.

STRUKTURELLE VERTEIDIGUNG

Dich selbst zu schützen ist Herausforderung genug, aber dein Zuhause zu verteidigen ist noch schwieriger. Du willst nicht einen Creeper in deinem Schlafzimmer finden! Zum Glück gibt es ein paar Gegenmaßnahmen, um dein Heim zu schützen.

BELEUCHTUNG

Aggressive Kreaturen erscheinen nur in dunklen Bereichen. Wenn du rund um dein Heim Fackeln oder andere Lichtquellen aufstellst, eliminierst du die dunklen Bereiche, die bedrohlich sind.

MAUERN & ZÄUNE

Wenn du sicher vor Monstern sein willst, musst du zwei Blöcke hohe Mauern errichten. Sollten dir Mauern nicht schick genug sein, dürfte auch ein Zaun deine Basis genügend sicher machen – außer vor Monstern mit Fernkampfattacken.

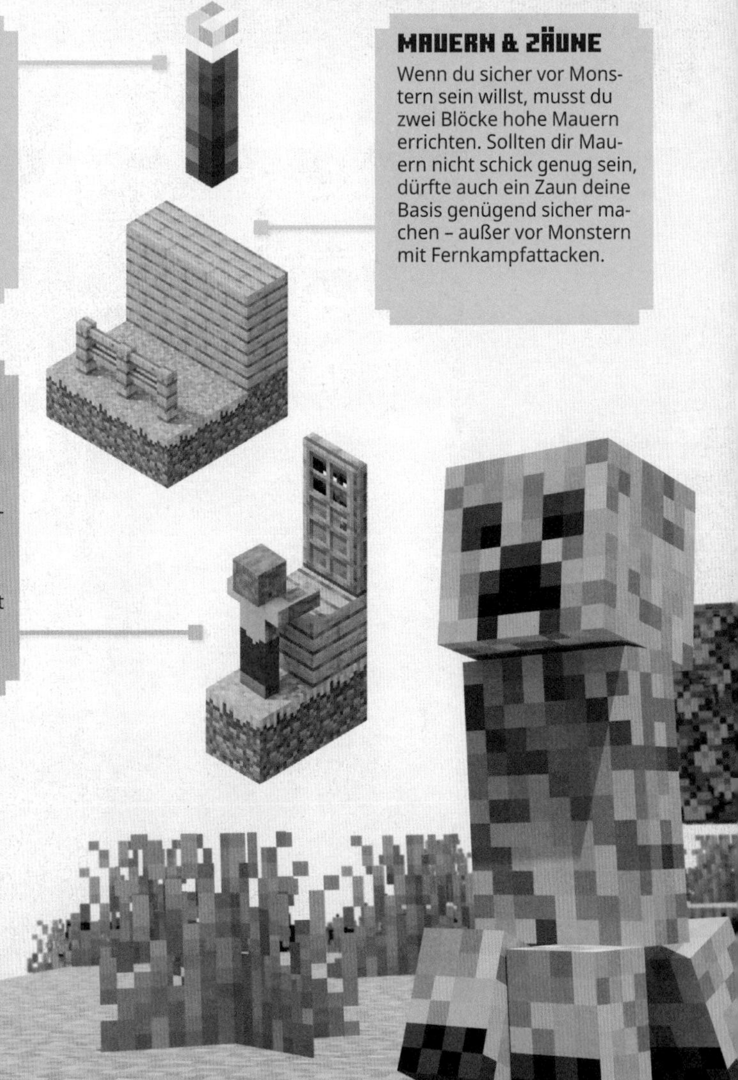

TÜRSTUFEN

Nimm dich vor Zombies in Acht, die bei dir anklopfen – im Schwierigkeitsgrad „Schwer" können sie Türen mit der Zeit einschlagen! Ein Trick hindert sie daran: eine Stufe vor der Tür. An eine solche Tür kommen die Zombies nicht heran.

PROFITIPP

Du brauchst mehr Verteidigung? Lies über das Verzaubern und Brauen auf den Seiten 66–69!

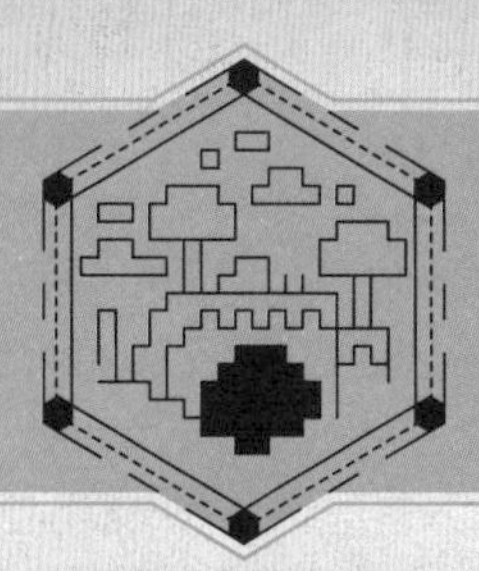

KAMPF GEGEN MONSTER

SCHWERT & SCHILD

Mit ein paar Schwerthieben bezwingst du schnell die meisten Monster. Denk dabei an die Abklingzeit – ein Schlag mit voller Kraft macht mehr Schaden! Schütze dich aktiv mit deinem Schild, um Schaden zu verhindern.

WERKZEUGE

Gerätst du unvorbereitet in einen Kampf, wehre dich mit Werkzeugen – eine Axt hinterlässt bei Monstern ordentlich Eindruck!

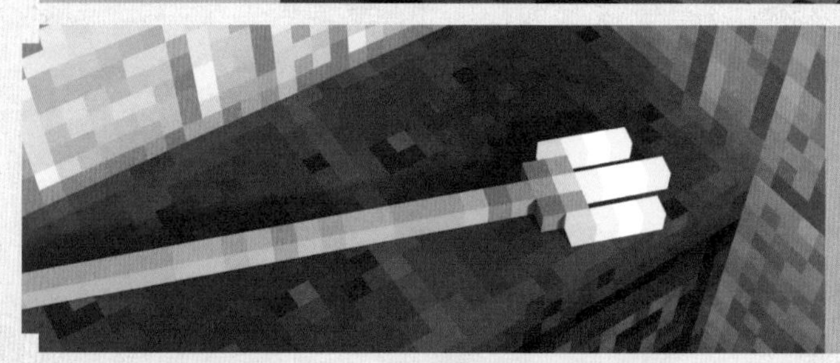

DREIZACK

Ein Dreizack kann im Nahkampf und im Fernkampf eingesetzt werden, was ihn zur wertvollen Waffe macht! Allerdings kannst du ihn nicht herstellen – du musst ihn einem Ertrunkenen abnehmen.

BOGEN & ARMBRUST

Manche Monster solltest du lieber aus der Ferne erledigen. Gerade Creeper solltest du nicht zu nah an dich herankommen lassen, da sie sonst explodieren. Achte darauf, dass dir nicht die Pfeile ausgehen!

Sobald du einer aggressiven Kreatur gegenüberstehst, bleiben dir nur zwei Möglichkeiten: Kampf oder Flucht. Ein langsamer Rückzug ist eine gute Strategie, aber im Notfall musst du dich auf dein Schwert verlassen. Bleibt dir also keine Möglichkeit zum Rückzug, dann denk an deine Ausbildung!

NUTZE DIE UMGEBUNG

Mach dir das Terrain zunutze. Monster werden nicht von Spielern gesteuert und können daher einfach ausgetrickst werden.

Fliegende und große Monster erreichen dich nicht, wenn du ein Dach überm Kopf hast. Bau ein Blockdach genau über dich, dann bist du vor den Angriffen von Endermen und Phantomen sicher – nicht aber vor denen anderer Monster!

In aussichtslosen Lagen kannst du dir schnell einen Bunker bauen und die Monster in Sicherheit bekämpfen. Eine 3 × 3 × 3 Blöcke große Kammer wie hier schützt dich von allen Seiten, du kannst aber noch angreifen. Die meisten Feinde werden dich nicht darin erreichen, außer kleine Monster wie Zombiekinder. Die solltest du also zuerst ausschalten.

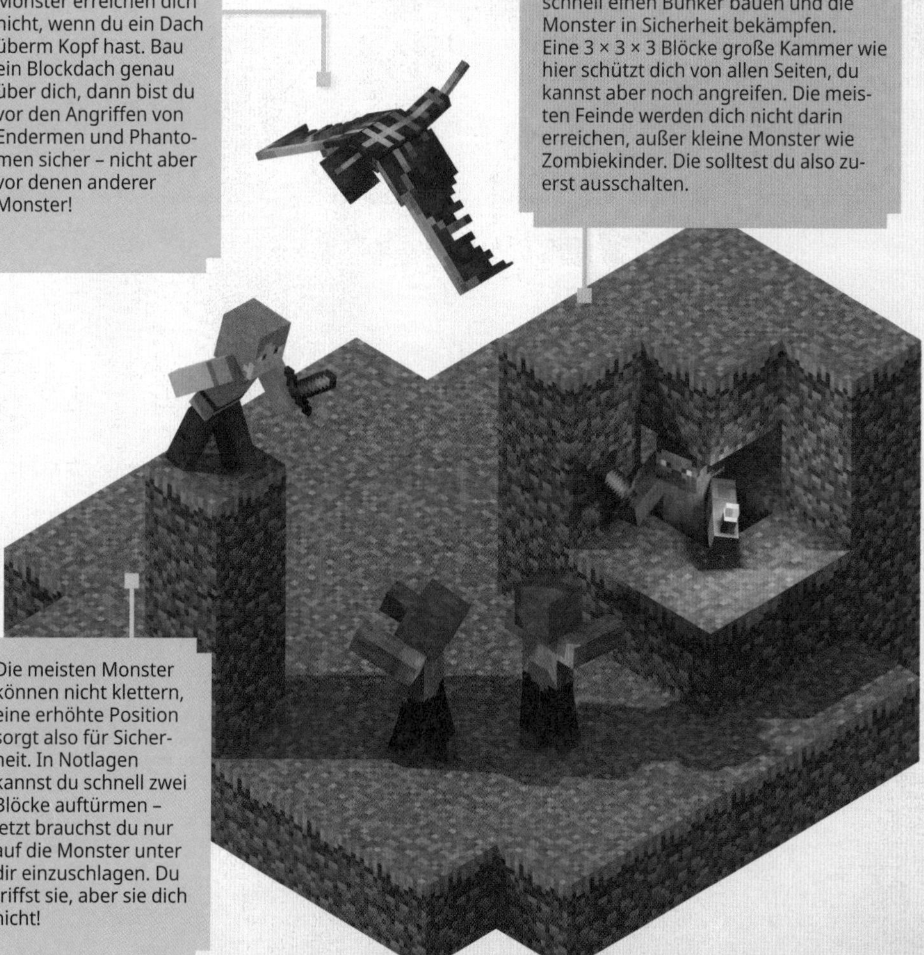

Die meisten Monster können nicht klettern, eine erhöhte Position sorgt also für Sicherheit. In Notlagen kannst du schnell zwei Blöcke auftürmen – jetzt brauchst du nur auf die Monster unter dir einzuschlagen. Du triffst sie, aber sie dich nicht!

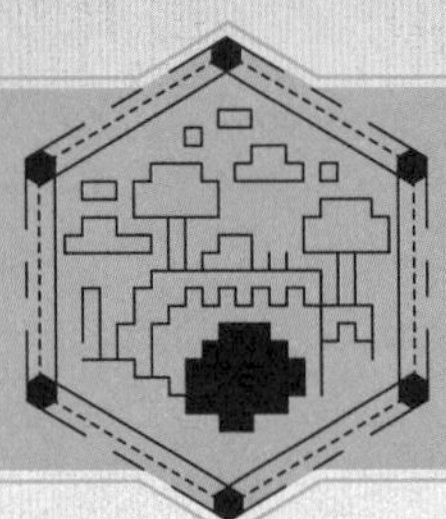

FINDE NACH HAUSE

1 ORIENTIERE DICH AN DER SONNE!

Genau wie in der echten Welt kannst du anhand der Sonnenposition durch die Oberwelt navigieren. Da Sonne und Mond im Osten auf- und im Westen untergehen, Wolken immer westwärts ziehen und auch die Sterne sich Richtung Westen bewegen, kannst du die Himmelsrichtungen auch ohne Kompass bestimmen.

2 SPEICHERE DEINE KOORDINATEN

Du kannst die Blockposition deines Charakters in der linken oberen Bildschirmecke anzeigen lassen, indem du im Optionsmenü bei den Welteinstellungen „Koordinaten anzeigen" einschaltest. X steht für den Längengrad, Y für den Breitengrad und Z ist die Höhenangabe. Notiere dir einfach die Koordinaten deines Zuhauses und folge ihnen, wenn du dich mal verlaufen hast.

3 LANDSCHAFTSMERKMALE

Sich die Landschaft deiner Heimatumgebung einzuprägen, hilft dir dabei, deinen Standort zu bestimmen und deinen Weg zu finden. Halte Ausschau nach markanten Merkmalen wie Flüssen, Bergen und Biomen. Du kannst auch eigene Landmarken bauen, wie zum Beispiel hohe Türme, die man aus der Ferne sehen kann, damit du stets nach Hause findest.

Die Welt von Minecraft zu erforschen ist eine atemberaubende Erfahrung. Auf der Suche nach Ressourcen wirst du durch Dschungel, Sümpfe und Berge streifen und einzigartige Landschaften bestaunen – bei so viel Ablenkung kann man sich schon mal verlaufen. Doch ein paar Tricks erleichtern dir die Navigation.

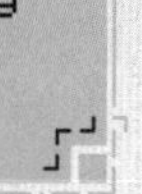

4 KARTEN

Du solltest immer eine Locator-Karte dabeihaben, für deren Herstellung du einen Kompass brauchst. Sie zeichnet die Umgebung auf, während du sie erkundest, und zeigt auch deine Position an. Sie wird sogar erneuert, wenn sich das Terrain verändert, sodass auch neue Strukturen darauf erscheinen. So findest du immer den Weg zu deiner Basis zurück!

5 FACKELPFAD

Erkundungstouren im Untergrund bringen ganz neue Herausforderungen mit sich – niemals enden wollende Tunnel können selbst erfahrene Spieler die Orientierung verlieren lassen. Um den Überblick zu behalten, kannst du regelmäßig Fackeln entlang der rechten Wand platzieren, während du weiter nach unten vordringst. Zurück findest du dann ganz leicht, indem du der Fackelspur wieder nach oben folgst.

6 SETZE EINEN NEUEN SPAWNPUNKT

Auf absolut Nummer sicher gehst du, wenn du ein Bett benutzt, um deinen Respawnpunkt daheim zu speichern. Findest du wirklich gar nicht mehr nach Hause, bringt dich eine Wiederbelebung zurück zu deinem Bett. Das sollte aber immer nur der letzte Ausweg sein, denn du wirst ohne deine Ausrüstung und dein Inventar wiederbelebt – ein hoher Preis fürs Verlaufen!

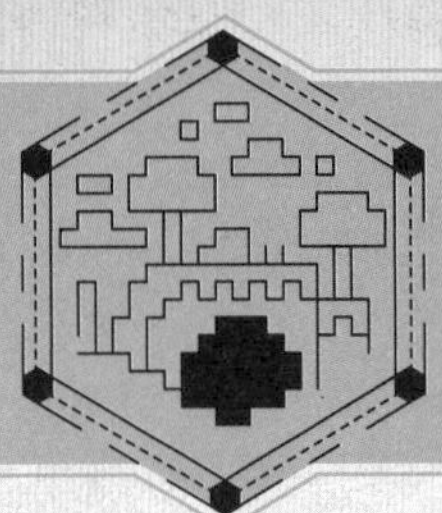

IMMER WEITER

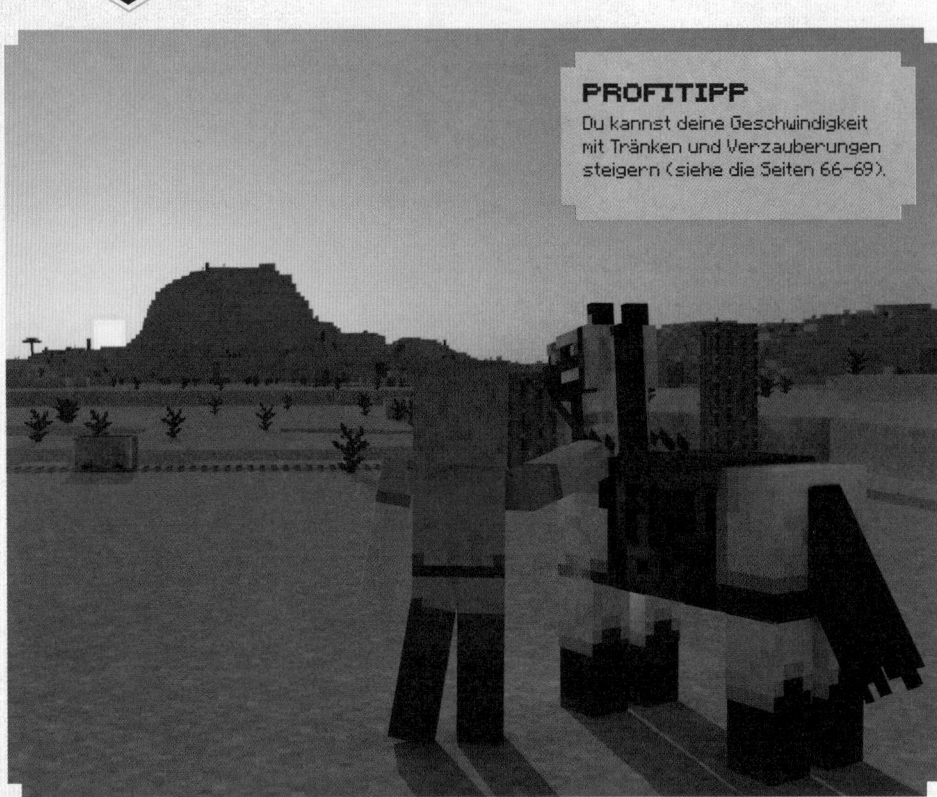

PROFITIPP

Du kannst deine Geschwindigkeit mit Tränken und Verzauberungen steigern (siehe die Seiten 66–69).

GEHEN, SPRINTEN & SCHWIMMEN

Du kannst die Welt ganz klassisch auf deinen zwei Füßen erkunden! Gehen und Schwimmen sind die einfachsten Methoden, von A nach B zu gelangen. Wer es eilig hat, kann auch sprinten, sollte aber genug zu essen einpacken!

REITEN

Beritten kommst du zügig voran. Zuerst musst du aber ein Pferd, ein Maultier, einen Esel, einen Schreiter oder ein Schwein und einen Sattel finden. Sättel können nicht hergestellt, sondern nur in generierten Strukturen gefunden oder durch Handel in Dörfern erworben werden. Nicht alle Kreaturen werden auf die gleiche Weise geritten, müssen in der Regel aber zuerst gezähmt werden (siehe Seite 46). Manche Tiere wie Esel, Maultiere und Lamas können für zusätzliche Inventarslots mit einer Kiste ausgerüstet werden.

LOREN

Wenn du oft dieselbe Route verwendest, kannst du die beiden Richtungen mithilfe einer Bahnstrecke aus Schienen und Loren verbinden. Damit bist du schnell unterwegs und kannst sogar Gegenstände transportieren, wenn du eine Güterlore belädst.

Die Welt ist riesig und du wirst große Distanzen zurücklegen auf deiner Suche nach Ressourcen, Biomen und generierten Strukturen. Je nachdem, wie weit du reisen musst, solltest du dir die beste Fortbewegungsmethode überlegen. Davon gibt es aber zum Glück genug.

NETHER-PORTAL-NETZ

Weite Strecken legst du am schnellsten mit Netherportalen zurück. Doch sei gewarnt, denn der Nether ist ein gefährlicher Ort (siehe die Seiten 72–79). Du benötigst eine Diamantspitzhacke, um Obsidian abzubauen, mit dem du einen Netherportalrahmen bauen kannst.

Ein Netherportal-Netz funktioniert nach einem simplen Prinzip: Jeder im Nether zurückgelegte Block lässt dich acht Blöcke in der Oberwelt reisen. Legst du also 100 Blöcke im Nether bis zum nächsten Portal zurück, entspricht das 800 zurückgelegten Blöcken in der Oberwelt.

Der Nether ist voller Lavameere und gefährlicher Kreaturen, also bevorzugen es viele Spieler, ihre Portale auf der höchsten Ebene des Nethers zu errichten.

PROFITIPP

Nimm ein Feuerzeug mit, wenn du ein Portal betrittst. Sollte es beschädigt werden, musst du es erneut entzünden, oder du steckst im Nether fest.

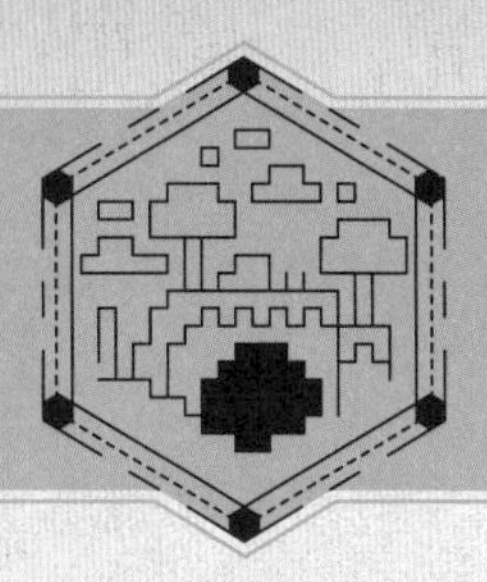

LERNE DIE DORF-BEWOHNER KENNEN

WO DU SIE FINDEST

Dorfbewohner findest du in Dörfern in Ebenen, Tundren, Savannen, Wüsten und Taigas – ihr Aussehen variiert je nach Biom. Manchmal triffst du auch Zombiedorfbewohner in der Oberwelt, die du mit einem goldenen Apfel heilen kannst.

HANDEL

Jeder berufstätige Dorfbewohner lässt sich auf Tauschgeschäfte mit dir ein. Ihre Waren hängen vom Beruf ab – mehr dazu auf der nächsten Seite. Du kannst Blöcke und Gegenstände gegen Smaragde eintauschen oder andersherum.

ERFAHRENE HÄNDLER

Handel macht die Dorfbewohner erfahrener, wodurch sich ihr Rang und ihr Warenangebot verbessern. Die Preise richten sich nach der Nachfrage und Waren können ausverkauft sein, bis der Dorfbewohner mehr davon hergestellt hat. Jeder Händler beginnt als Anfänger und kann zum Lehrling, Gesellen und Experten aufsteigen.

An der Gürtelfarbe erkennst du den Rang eines Dorfbewohners.

Dorfbewohner sind mehr als nur freundliche Zeitgenossen – sie handeln auch mit einer Fülle an wertvollen Gegenständen und sind dir somit eine unschätzbare Hilfe. Sie haben alles von Smaragden über Zauberbücher bis hin zu Entdeckerkarten im Angebot, also lohnt es sich, deine Dorfnachbarn kennenzulernen.

BERUFE

Abgesehen von den aufgedrehten Kindern und Nichtsnutzen sind Dorfbewohner stets um Arbeit bemüht. Wenn du einen arbeitslosen Dorfbewohner in normaler Kleidung siehst, platziere einen Arbeitsblock, um ihm einen Beruf zu geben.

Nichtsnutze sind Dorfbewohner, die keinem Beruf nachgehen können.

	**RÜSTUNGSSCHMIED** Handelt mit wehrhaften Rüstungsteilen und Schilden.		**GERBER** Kauft Leder und fertigt daraus Lederrüstung und Sättel.
	**METZGER** Kauft rohes und verkauft zubereitetes Fleisch.		**BIBLIOTHEKAR** Kauft Bücher und verkauft Zauberbücher.
	**KARTOGRAF** Verkauft Entdeckerkarten und Banner.		**STEINMETZ** Kauft Stein und Ton und verkauft dekorative Blöcke.
 	**GEISTLICHER** Kauft Verrottetes Fleisch und verkauft Gegenstände wie Lapislazuli und Enderperlen.	 	**SCHÄFER** Kauft Wolle und verkauft Betten und Banner.
	**BAUER** Kauft und verkauft Nahrungsmittel, einschließlich Kuchen und Goldener Karotten.		**WERKZEUGSCHMIED** Verkauft verzauberte Werkzeuge.
	**FISCHER** Kauft rohen und verkauft gebratenen Fisch sowie verzauberte Angeln.		**WAFFENSCHMIED** Verkauft verzauberte Schwerter und Äxte.
	**PFEILMACHER** Verkauft verzauberte Bögen und Armbrüste.		

NEUE BERUFE

Du kannst den Beruf jedes Dorfbewohners ändern, mit dem du noch nicht gehandelt hast. Zerstöre dafür einfach seinen Arbeitsblock und platziere einen neuen. Platzierst du den gleichen Arbeitsblock, wird sein Warenangebot zurückgesetzt.

TRATSCH & RUF

Wie in Gemeinden so üblich, lieben Dorfbewohner es, zu tratschen. Sie tauschen sich über deine guten wie schlechten Taten aus und verbreiten ihren Tratsch auch in neuen Dörfern, in die sie umsiedeln. Dein Ruf ist wichtig, denn er beeinflusst die Preise beim Handeln.

POSITIVE Aktionen wie Heilen und Handeln verbessern deinen Ruf.

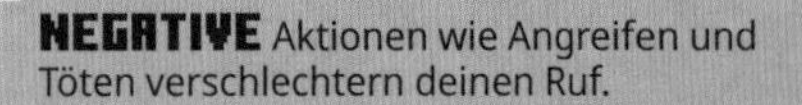

NEGATIVE Aktionen wie Angreifen und Töten verschlechtern deinen Ruf.

EISERNE VERTEIDIGER

Dorfbewohner sind sehr hilfreich, aber auch leicht verwundbar. Zum Glück können sie Eisengolems zu Hilfe rufen, die sie vor aggressiven Kreaturen beschützen. Hat ein Dorf mindestens 10 Bewohner und 20 Betten, erscheint ein Eisengolem, um die Dorfbewohner zu schützen.

BELIEBTHEIT

Respektiere deine Nachbarn. Misshandelst du Dorfbewohner, verschlechtert sich nicht nur dein Ruf, sondern deine Beliebtheit im ganzen Dorf. Fällt sie unter einen bestimmten Wert, greifen dich die Eisengolems eines Dorfes an.

BAUE DEIN DORF AUS

Der Handel mit Dorfbewohnern beschert dir jede Menge nützliche Gegenstände. Obwohl Dörfer mit Bewohnern überall auf der Oberwelt auftauchen, benötigst du ein gut besetztes Dorf mit allen Berufen, um deine Überlebenschancen zu maximieren. Du kannst die Anzahl der Dorfpopulation erhöhen, indem du die Bewohner ermutigst, Kinder zu bekommen.

DORFAUSBAU

Du kannst den Wunsch nach Familiengründung bestärken, indem du für perfekte Lebensumstände in deinem Dorf sorgst. Hier sind ein paar einfache Tipps, wie du zwei Dorfbewohner dazu bewegen kannst, Kinder in die Welt zu setzen.

BETTEN

Dorfbewohner brauchen Betten für ihren Nachwuchs, sonst gründen sie keine Familien. Stelle Betten für jeden neuen Bewohner auf, den du im Dorf begrüßen willst.

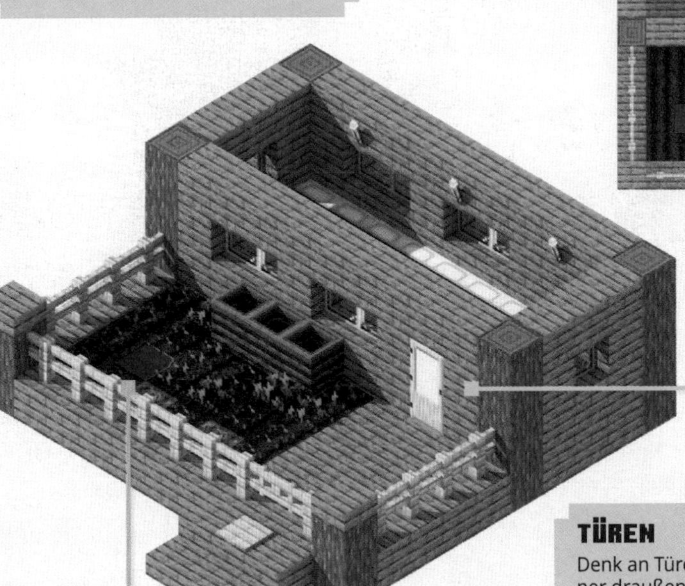

TÜREN

Denk an Türen, damit sich die Bewohner draußen um ihre Ackerpflanzen kümmern können. Wenn sie verhungern, hast du nichts von ihnen!

NAHRUNG

Ein wohlgenährter Dorfbewohner ist ein glücklicher Dorfbewohner. Stelle Ackerboden mit Wasserquellen bereit und baue Karotten, Kartoffeln oder Rote Bete an. Stelle noch ein paar Komposter auf, damit sich Dorfbewohner um den Ackerbau kümmern. Achte darauf, dass ein Familienmitglied Bauer ist!

PROFITIPP

Dorfbewohner können Zauntore nicht öffnen. Schließe die Tore mit Druckplatten, um die Dorfbewohner vor aggressiven Kreaturen zu schützen.

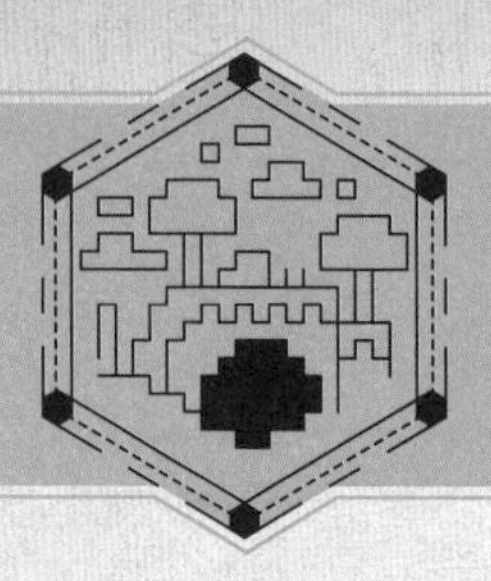

VERZAUBERE DEINE AUSRÜSTUNG

GEGENSTÄNDE VERZAUBERN

Für Verzauberungen benötigst du einen Zaubertisch, den du aus einem Buch, 2 Diamanten und 4 Blöcken Obsidian herstellen kannst. Du brauchst ein Werkzeug oder einen Ausrüstungsgegenstand sowie 1-3 Lapislazuli und ausreichend Erfahrung.

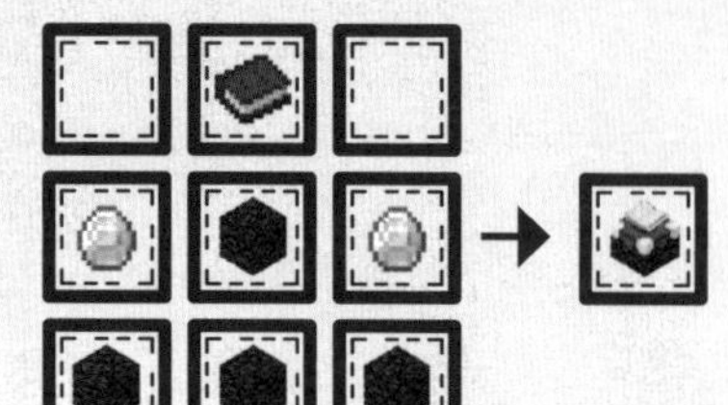

EINEN ZAUBERTISCH BENUTZEN

Zaubertische ermöglichen zufällige Verzauberungen, die vom zu verzaubernden Gegenstand sowie der Anzahl an beigestellten Bücherregalen abhängen. Interagierst du mit einem Zaubertisch, erscheint folgende Benutzeroberfläche:

Platziere 1-3 Lapislazuli, um die Verzauberung zu ermöglichen.

Die Zahl links gibt an, wie viele Erfahrungsstufen die Verzauberung kosten wird.

Der Name der Verzauberung erscheint im Standard Galactic Alphabet, aber keine Panik, falls du es nicht lesen kannst! Wenn du mit dem Cursor über den Text fährst, siehst du die Übersetzung.

Links setzt du den zu verzaubernden Gegenstand ein.

Die Zahl rechts gibt an, welche Stufe du benötigst, um die Verzauberung durchführen zu können.

Die verfügbaren Verzauberungen richten sich nach der Anzahl der Bücherregale in Reichweite.

Der schnellste Weg, deine Ausrüstung zu verbessern, ist, besseres Material zu finden – der beste Weg ist aber Verzaubern. Es gibt verschiedenste Verzauberungen, die Werkzeuge haltbarer oder Schwerter stärker machen. Verzauberungen lohnen sich, sind aber teuer!

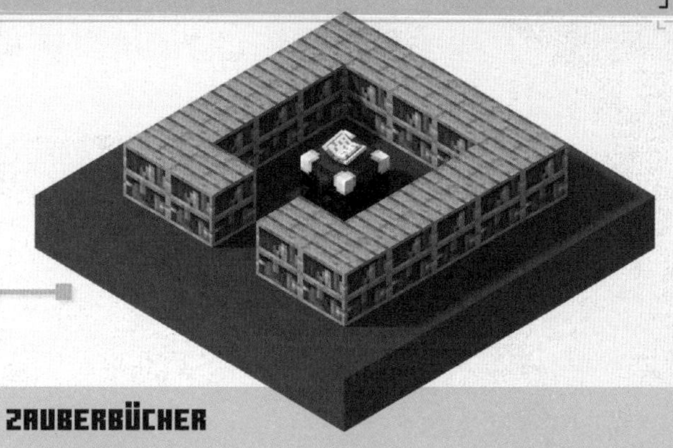

ERWEITERE DEINEN HORIZONT

Wissen ist Macht. Und zusätzliches Wissen hilft dir auch am Zaubertisch! Wenn du den Tisch mit Bücherregalen umgibst – maximal 15 –, schaltest du stärkere Verzauberungen frei, bis hin zu Verzauberungen der Stufe 30.

ZAUBERBÜCHER

Die meisten Verzauberungen entdeckst du am Zaubertisch, manche erhältst du aber nur in Form von Zauberbüchern von Dorfbewohnern, wie zum Beispiel Reparatur und Eisläufer. Du fügst diese einem Gegenstand an Ambossen hinzu.

VERZAUBERUNGEN

Du kannst deine Ausrüstung mit 37 einzigartigen Verzauberungen verbessern und einen Gegenstand mehrmals verzaubern. Manche Verzauberungen funktionieren für verschiedene, manche nur für bestimmte Gegenstände. Hier ein paar der nützlichsten Verzauberungen für den Überlebensmodus, die du dir genauer ansehen solltest.

EFFIZIENZ

Erhöht die Abbaugeschwindigkeit des Spielers.

PEINIGUNG

Erhöht den Schaden gegen untote Kreaturen.

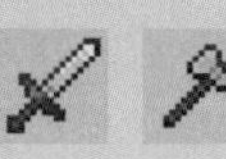

FEDERFALL

Reduziert den Fallschaden.

HALTBARKEIT

Erhöht die Haltbarkeit von Gegenständen.

UNENDLICHKEIT

Verhindert den Verbrauch von Pfeilen beim Schießen.

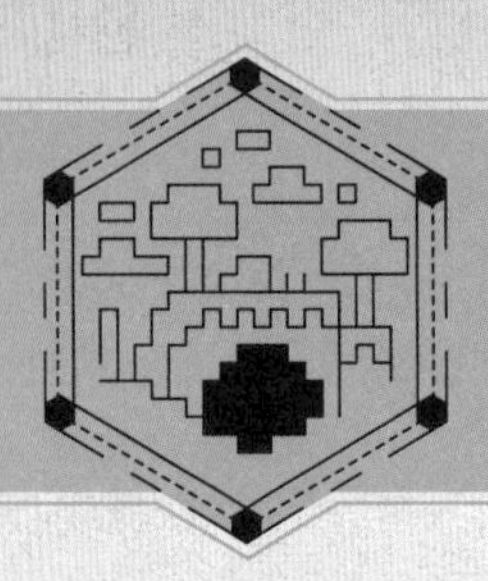

ZEIT FÜR TRÄNKE

WIE BRAUE ICH?

Die meisten Tränke sind das Ergebnis mehrerer Brauschritte, die den Trank von einem Zustand in einen anderen umwandeln, bis du schließlich zum gewünschten Gebräu kommst. Zunächst braucht du einen Braustand. Den findest du in Iglus und Dörfern – oder du stellst einen mit einer Lohenrute und Bruchstein her. Lohenruten werden von Lohen hinterlassen (siehe Seite 78) und dienen auch der Herstellung von Lohenstaub, den du als Brennstoff für deinen Braustand benötigst. Als Nächstes brauchst du Glasflaschen und eine Wasserquelle, zum Beispiel einen Kessel, um sie mit Wasser zu füllen.

BRAUPROZESS

1 Fülle deine Glasflaschen mit Wasser und platziere sie in den drei Brau-Slots unten. Gib Lohenstaub in den Slot für den Brennstoff – die Zahl zeigt dir an, wie viel noch übrig ist.

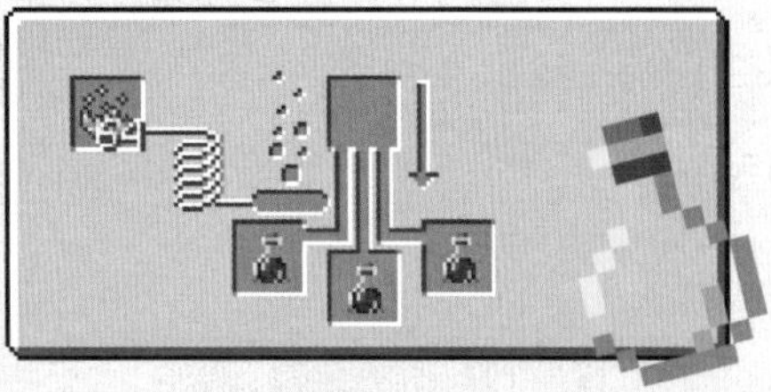

2 Stelle einen Basistrank her. Sogenannte Seltsame Tränke sind die Basis für die meisten Tränke und haben allein keinen Effekt. Du erhältst sie, indem du eine Netherwarze in den Zutaten-Slot setzt.

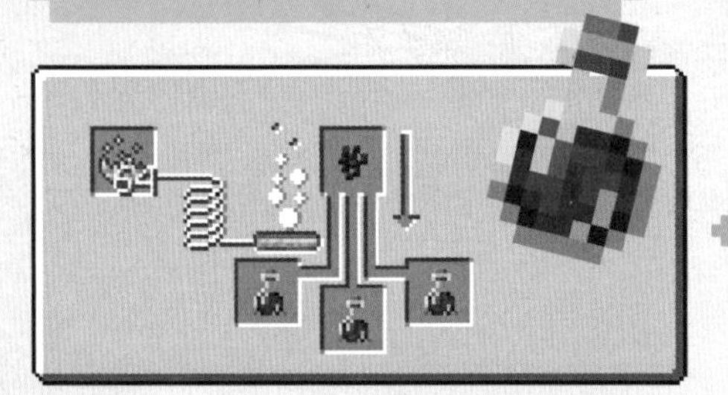

3 Wähle eine Zutat, um deinem Basistrank einen Effekt hinzuzufügen, und leg sie in den Zutaten-Slot. Mit Zucker erhältst du den Trank der Geschwindigkeit.

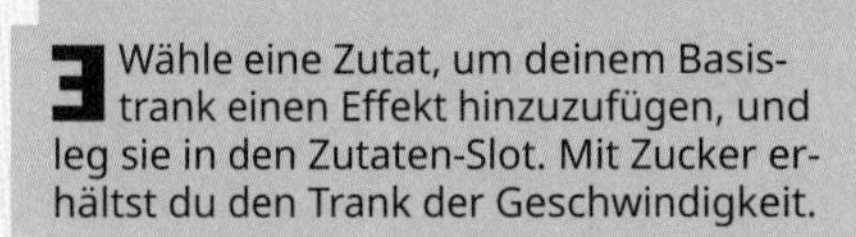

4 Lege die gebrauten Tränke in deinem Inventar ab. Experimentiere mit anderen Zutaten und finde heraus, was du noch alles brauen kannst.

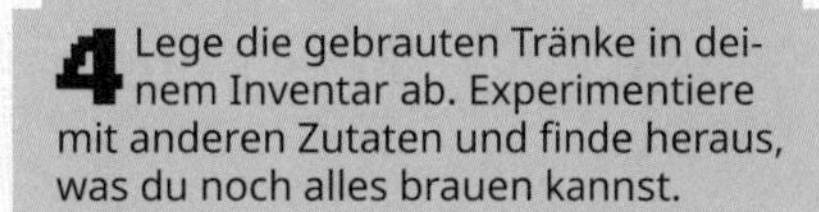

Nachdem du dich in Minecraft eingespielt hast, wirst du dir mit Sicherheit wünschen, du könntest dich noch besser vorbereiten. Hier kommt das Brauen ins Spiel! Diverse herstellbare Tränke, angefangen von einem Trank des Feuerwiderstands bis zu Tränken der Heilung, erleichtern dir das Überleben.

HIER FINDEST DU EINE AUSWAHL BRAUBARER TRÄNKE, UM DEINE ÜBERLEBENSCHANCEN ZU ERHÖHEN:

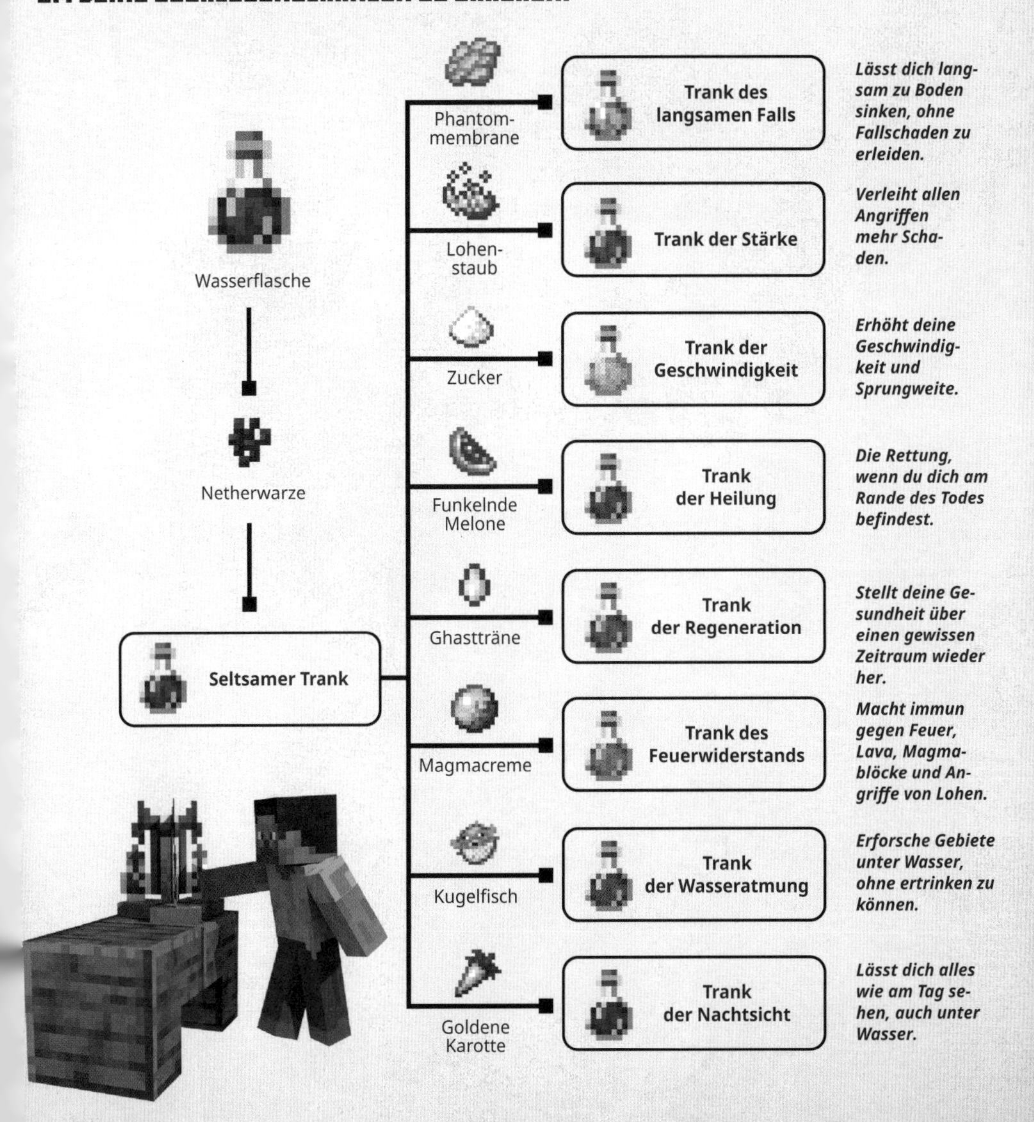

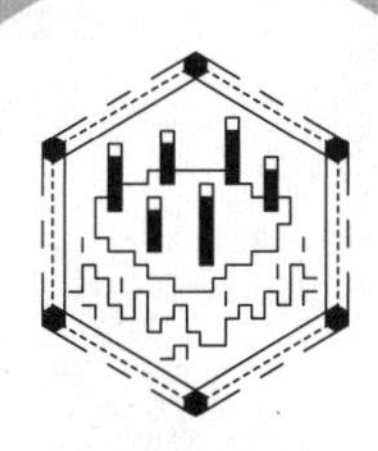

NEUE DIMENSIONEN

Je mehr du deine Basis in der Oberwelt ausbaust, desto bereiter bist du für größere Herausforderungen. Es ist also an der Zeit, zwei alternative Dimensionen kennenzulernen: den Nether und das Ende. Beide Dimensionen sind gefährlich und bizarr, stecken aber voller Wunder und sind mit nichts auf der Oberwelt zu vergleichen – außerdem findest du dort jede Menge Ressourcen, die es sonst nirgends gibt! Sie zu erreichen und zu erkunden, wird dir alles an Überlebenskünsten abverlangen, denn der Nether ist voller Gefahren und im Ende wartet der berühmt-berüchtigte Enderdrache auf dich!

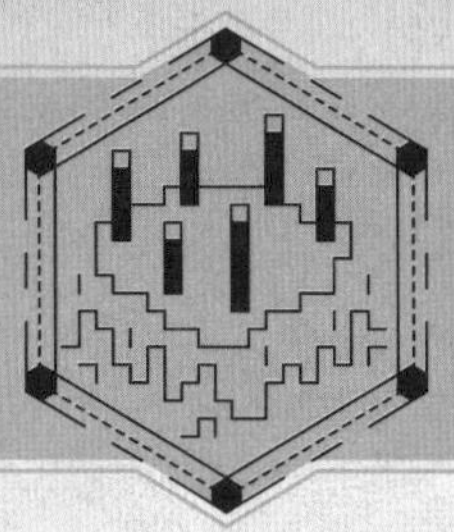

DER NETHER

DEN NETHER ERREICHEN

Um den Nether zu erreichen, musst du ein Netherportal erschaffen. Du kannst eine Portalruine reparieren oder ein neues Portal bauen. Dafür konstruierst du aus Obsidian einen rechteckigen Rahmen und entzündest einen der Rahmenblöcke mit einem Feuerzeug.

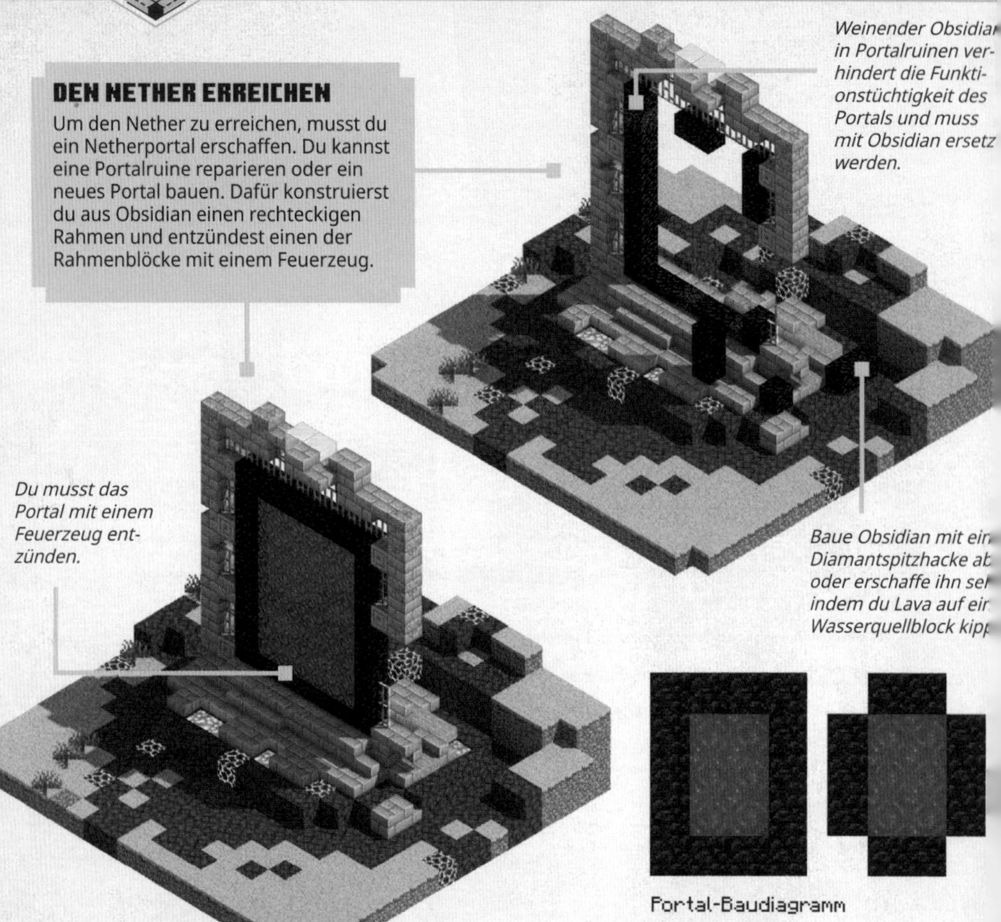

RESPAWNPUNKT

Sobald du im Nether angekommen bist, hast du bestimmt das Bedürfnis, in einem Bett zu schlafen und deinen Respawnpunkt abzuspeichern – MACH DAS AUF GAR KEINEN FALL! Es ist unmöglich, in dieser albtraumhaften Dimension zu schlafen, und wenn du es versuchst, explodiert dein Bett! Um deinen Respawnpunkt zu speichern, musst du einen Respawn-Anker aus Weinendem Obsidian und Glowstone fertigen.

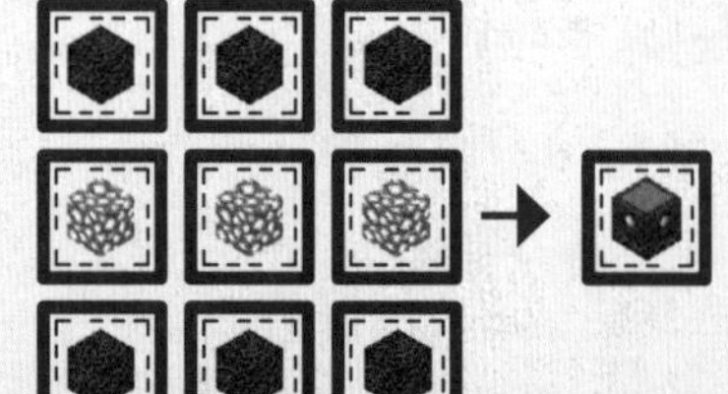

Respawn-Anker-Rezept

Beim Erkunden der Oberwelt stolperst du mit etwas Glück über eine Portalruine. Reparierst du sie, entsteht ein Tor in die Nether-Dimension, ein Ort voller Feuer, Lava und Pilzen – du kannst aber auch dein eigenes Netherportal bauen. Betreten aber nur auf eigene Gefahr, denn der Nether ist eine ziemlich feindselige Dimension.

HEIMISCHE KREATUREN

Die Kreaturen des Nethers sind genauso feindselig wie die Umgebung – die meisten davon sind aggressiv, wie zum Beispiel Ghasts, die dich mit explosiven Feuerbällen beschießen, oder Witherskelette, die dir mit dem Statuseffekt Wither nach dem Leben trachten. Einige Kreaturen können aber, ein wenig Aufwand vorausgesetzt, zu Verbündeten werden, wie zum Beispiel Piglins, die Gegenstände gegen Goldbarren tauschen.

Antiker Schutt

Glowstone

Netherstein

Quarzblock

ANTIKER SCHUTT

Sich im Nether umzusehen, wird dich mit neuen Baublöcken belohnen. Wenn du Glück hast, findest du sogar Antiken Schutt. Diesen kannst du zu Netherit-Schrott einschmelzen, welcher in Kombination mit Goldbarren Netherit-Barren ergibt. Und damit kannst du Waffen, Rüstungsteile und Werkzeuge aus Diamant an einem Amboss zu Netherit-Ausrüstung aufwerten.

NEUE REITTIERE

Du würdest bestimmt gern dein Pferd mit in den Nether bringen, doch das unwirtliche Gelände und die großen Lavaseen bieten sich nicht wirklich für equestrische Gefährten an. Ein Glück, dass es Schreiter im Nether gibt! Diese putzigen Kreaturen tun alles für Wirrpilze, sie schreiten sogar durch Lava! Sattle einen Schreiter, bastle dir aus einem Wirrpilz und einer Angel einen Wirrpilz auf einem Stock, und schon kann's losgehen!

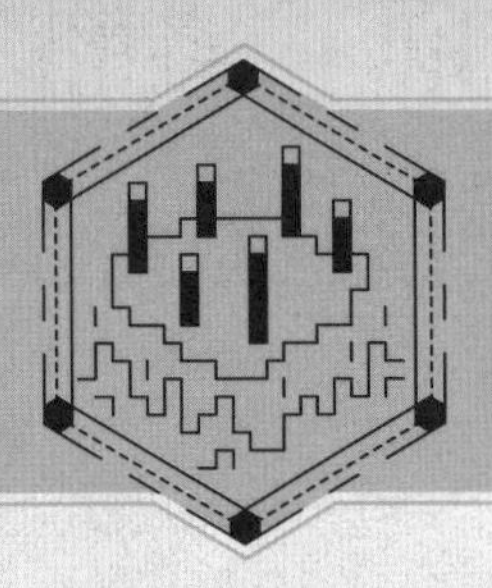

BIOME: NETHER

SEELENSANDTAL

Das Nether-Pendant zur Wüste ist mit Seelensand bedeckt, der die Fortbewegung der Spieler verlangsamt. Und als wäre das nicht genug, findet sich hier auch noch überall blaues Seelenfeuer. Halte nach Netherfossilien Ausschau, den Überresten gewaltiger Kreaturen lange vor unserer Zeit.

KARMESINWALD

Benannt nach den Karmesinpilzen, die hier überall aus dem Boden sprießen. Mit seinem Ökosystem ist das Biom ungewöhnlich für den Nether und bietet zahlreichen Piglins und Hoglins eine Heimat.

NETHER-ÖDLAND

Das häufigste Biom im Nether besteht hauptsächlich aus Netherstein und einzelnen Netherquarzerz-Vorkommen. Zombie-Piglins treiben hier vermehrt ihr Unwesen.

PORTAL

Sobald du genug Ressourcen gesammelt und Gefahren überstanden hast, kannst du durch ein Portal in die Oberwelt zurückkehren und herausfinden, wie weit du gereist bist (siehe Seite 61).

Der Nether ist ein gefährlicher Ort mit zerklüftetem Terrain, das schwer zu erkunden ist. Doch seine Biome sind auch voller bizarrer Schönheit und nützlicher Ressourcen, wie zum Beispiel Lohenruten, die der Schlüssel zum Erreichen der Ende-Dimension und zum Tränkebrauen sind.

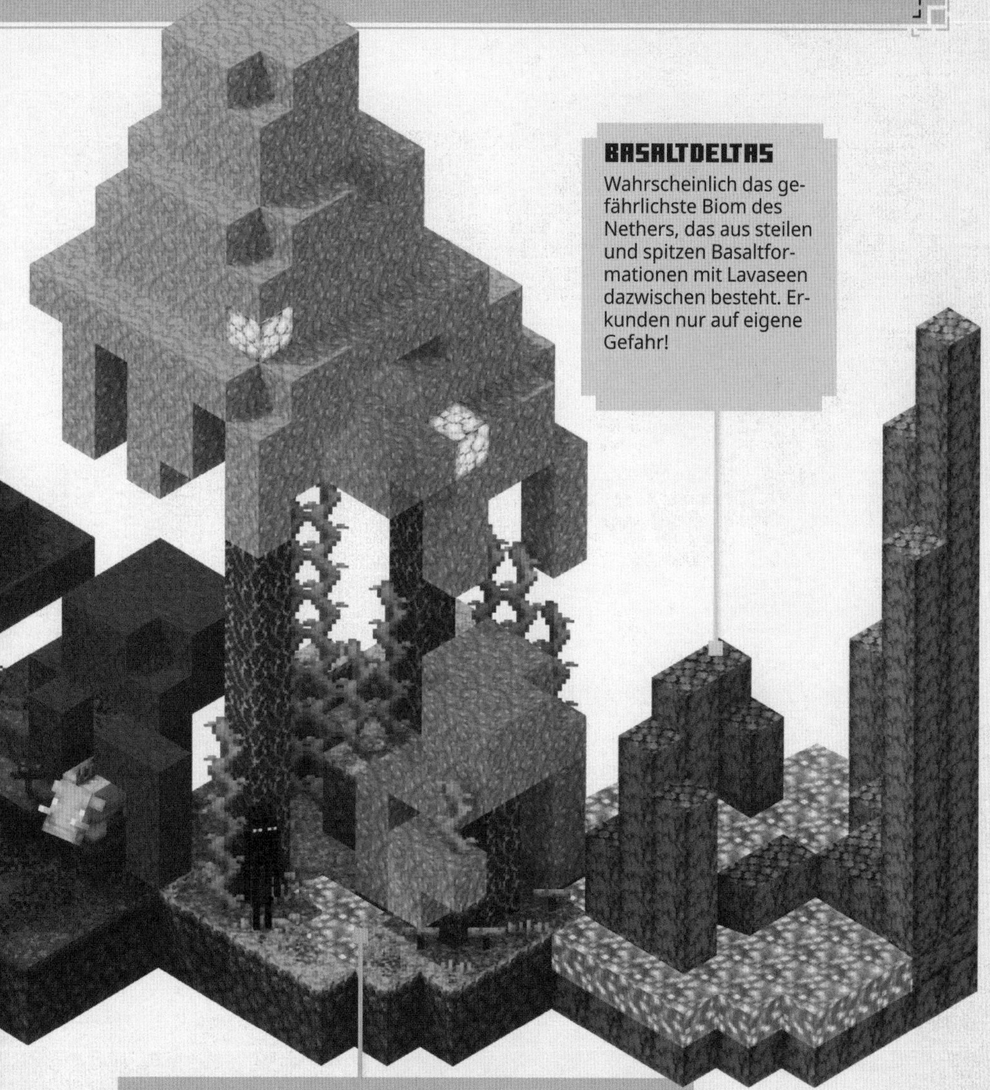

BASALTDELTAS

Wahrscheinlich das gefährlichste Biom des Nethers, das aus steilen und spitzen Basaltformationen mit Lavaseen dazwischen besteht. Erkunden nur auf eigene Gefahr!

WIRRWALD

Im Nether ist dies ein relativ sicheres Biom. Die reichhaltige Flora mag dazu einladen, sich niederzulassen, jedoch treiben sich hier jede Menge schreiende Endermen herum, die weder der Integrität deiner Gebäude noch deinem Seelenfrieden zuträglich sind.

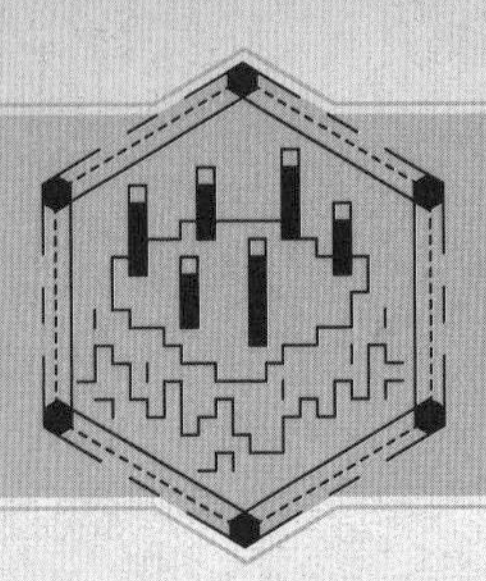

DER NETHER: TERRAIN

LAVASEEN

Große Lavaseen finden sich in mehreren der Nether-Biome. Darin willst du ganz sicher nicht baden! Es dauert nur wenige Sekunden, bis du keine Gesundheitspunkte mehr hast, und deine Ausrüstung hält der Hitze nicht stand. Wenn du einen Lavasee überqueren musst, baue am besten eine Brücke oder reite auf einem Schreiter.

LAVAQUELLEN

Pass auf, wo du im Nether gräbst – hinter den Nethersteinwänden können überall Lavaquellen lauern! Siehst du Lava auf dich zuströmen, mach schnell auf dem Absatz kehrt oder stoppe sie mit einem Block. Im Gegensatz zur Oberwelt hast du hier nämlich kein Wasser, um die Flammen zu löschen.

SEELENSAND

Seelensand findet man zuhauf in Seelensandtälern. Du bewegst dich langsamer darauf fort, was dich zu einem leichten Ziel für aggressive Kreaturen macht. Wenn du einen Zaubertisch hast, kannst du deine Stiefel mit Seelenflitzer verzaubern und schneller darauf laufen.

BASALTSÄULEN

Diese vertikalen Säulen finden sich in Basaltdeltas und sind von Lava umgeben. Jeder Fehltritt lässt dich ein heißes Bad nehmen – ein tödlich heißes! Besiege Magmawürfel, um Magmacreme zu erhalten, aus der du Tränke des Feuerwiderstands brauen kannst.

Die verschiedenen Biome des Nethers unterscheiden sich deutlich von denen der Oberwelt, also wirst du neue Strategien für deine Expeditionen brauchen. Vermeide es, wild herumzusprinten und blindlings über Blöcke zu springen – mit etwas Pech landest du nämlich in einer feindseligen Kreatur, einem Lavabecken oder verläufst dich einfach nur hoffnungslos.

PROFITIPPS ZUM ERKUNDEN DES NETHERS

Das zerklüftete Terrain erschwert deine Expeditionen. Bevor du losziehst, solltest du daher dein Inventar mit einigen nützlichen Gegenständen und Blöcken ausstatten.

FEUERWIDERSTAND

Wasser im Nether ist ein Ding der Unmöglichkeit – es verdampft sofort. Das macht Feuer noch tödlicher! Führe daher immer ein paar Tränke des Feuerwiderstands mit dir. Sie retten dir das Leben, falls du in Lava stürzt.

GERÜSTE & BAUBLÖCKE

Aufgrund des steilen Geländes und der breiten Schluchten gestaltet sich das Reisen von Biom zu Biom äußerst schwierig. Nimm stets genügend Blöcke mit, um Brücken bauen zu können. Gerüste sind ebenfalls hilfreich, um Bergwände zu überwinden.

GOLDRÜSTUNG

Piglins lieben Gold. So sehr, dass sie auch Spieler lieben, die Gold am Körper tragen. Schütze dich vor ihrer Aggressivität, indem du ein goldenes Rüstungsteil trägst. Solange du ihre Truhen und Goldblöcke in Ruhe lässt, werden sie dir nichts tun.

MARKIERUNGEN

Im Nether kann man sich leichter verlaufen als in der Oberwelt, da du hier keine Karten nutzen kannst. Daher ist es eine gute Idee, deinen Weg mit Markierungen abzustecken, damit du wieder zurückfindest.

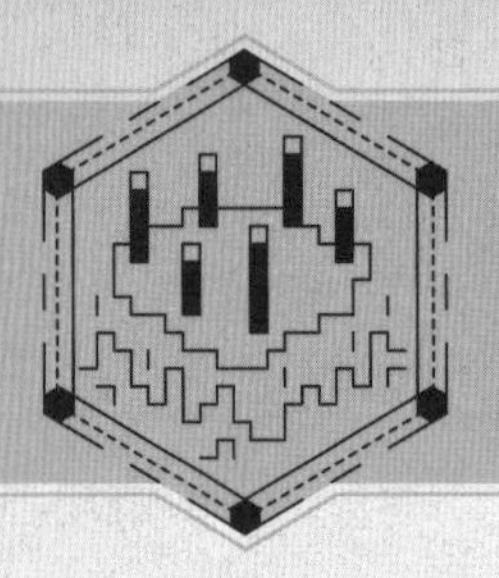

KREATURENBEGEGNUNGEN: NETHER

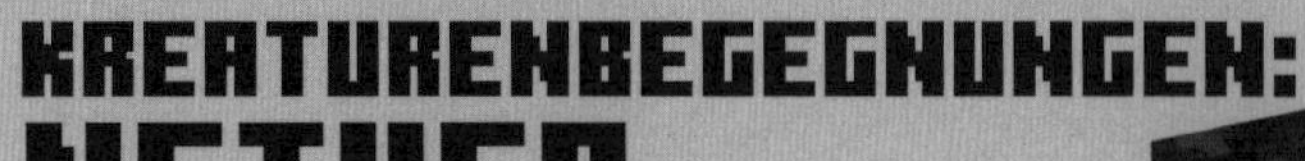

MAGMAWÜRFEL

Kommt in drei Größen vor und teilt sich in zwei bis vier kleinere Würfel, wenn du ihn besiegst.

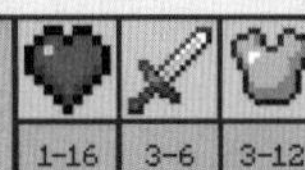

Gesundheit	Schaden	Rüstung
1-16	3-6	3-12

Hinterlässt

LOHE

Wenn du sie besiegst, kommst du an wertvolle Lohenruten, doch sieh dich vor ihren Feuerbällen vor!

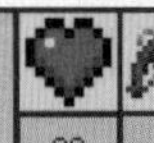 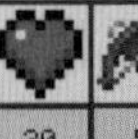 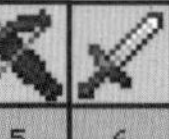

Gesundheit	Abbau	Schaden
20	5	6

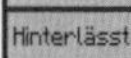

Hinterlässt

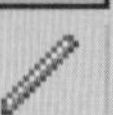  

WITHERSKELETT

Dieses große Skelett führt ein Steinschwert und kann den Statuseffekt Wither herbeiführen.

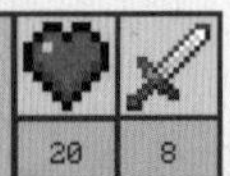

Gesundheit	Schaden
20	8

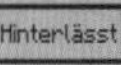

Hinterlässt

GHAST

Seine geisterhaften Schreie sind weit zu hören. Nimm dich vor den explosiven Feuerbällen in Acht!

Gesundheit	Schaden
10	12

Hinterlässt

  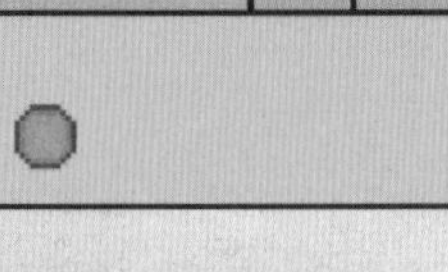

Kreaturen erscheinen im Nether weit häufiger als in der Oberwelt und sind so gut wie unumgänglich – Weglaufen ist nämlich oft keine Option, wenn man von Lavaseen umgeben ist. Also solltest du deinen Feind kennen, bevor du gegen ihn kämpfst! Auf Seite 47 findest du Erklärungen für die Symbole.

PIGLIN

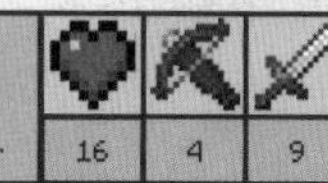

Sie greifen bei Sichtkontakt an, außer du trägst Gold bei dir, was sie gegen Gegenstände tauschen.	16	4	9

Hinterlässt

PIGLIN-GROBIAN

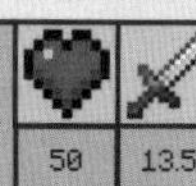

Dieser axtschwingende Piglin findet sich in Bastionsruinen und greift dich immer an, auch wenn du Goldrüstung trägst.	50	13.5

Hinterlässt

HOGLIN

Eine wichtige Nahrungsquelle im Nether, die man in Bastionsruinen oder Karmesinwäldern findet. Ausgewachsene Exemplare können dich in die Lava schleudern.	40	8

Hinterlässt

SCHREITER

Du kannst auf diesen freundlichen Kreaturen durch Lava reiten. Sie lassen sich mit einem Wirrpilz auf einem Stock steuern.	20

Hinterlässt	Paaren

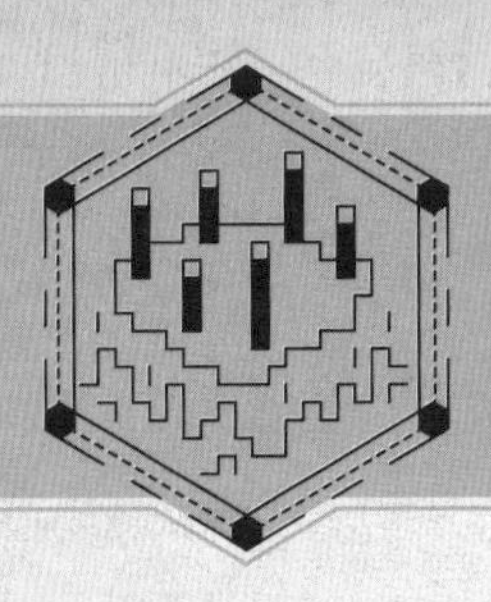

DAS ENDE

DAS ENDE ERREICHEN

Um diese Dimension zu erreichen, musst du zunächst eine Festung in der Oberwelt finden und das Endportal darin reparieren. Festungen findest du, indem du Enderaugen in die Luft wirfst und ihrer Flugrichtung folgst – sie führen dich direkt zur nächsten Festung. Sobald sie nicht mehr weiterfliegen, kannst du anfangen zu graben, bis du auf eine Struktur aus Bemoostem Bruchstein unter dir stößt.

ENDPORTAL

Sobald du dich im Inneren der Festung befindest, suche nach einem Raum mit einem Endportal. Das Portal benötigt zwölf Enderaugen, um funktionstüchtig zu werden, die du aus Enderperlen und Lohenstaub herstellen kannst. Sobald das Portal repariert ist, erscheint darin ein Sternenhimmel – spring hinein, um ins Ende zu reisen.

Jetzt, da du den Nether besucht hast, möchtest du dich vielleicht einer der größten Herausforderungen in Minecraft stellen? Aber bevor du dich auf die gefährliche Reise machst, solltest du dich gut vorbereiten: Sobald du das Portal betreten hast, gibt es nämlich kein Zurück mehr, bis du den Enderdrachen besiegt hast – oder er dich!

KAMPF GEGEN DEN ENDERDRACHEN

Deine erste Herausforderung im Ende wird der Kampf gegen den Enderdrachen sein. Sobald du ihn besiegt hast, erscheint ein Endtransitportal, dank dem du das Ende erkunden kannst, und ein Endportal zurück zur Oberwelt wird aktiviert. Hier ein paar Tipps für deinen Kampf gegen dieses Ungetüm:

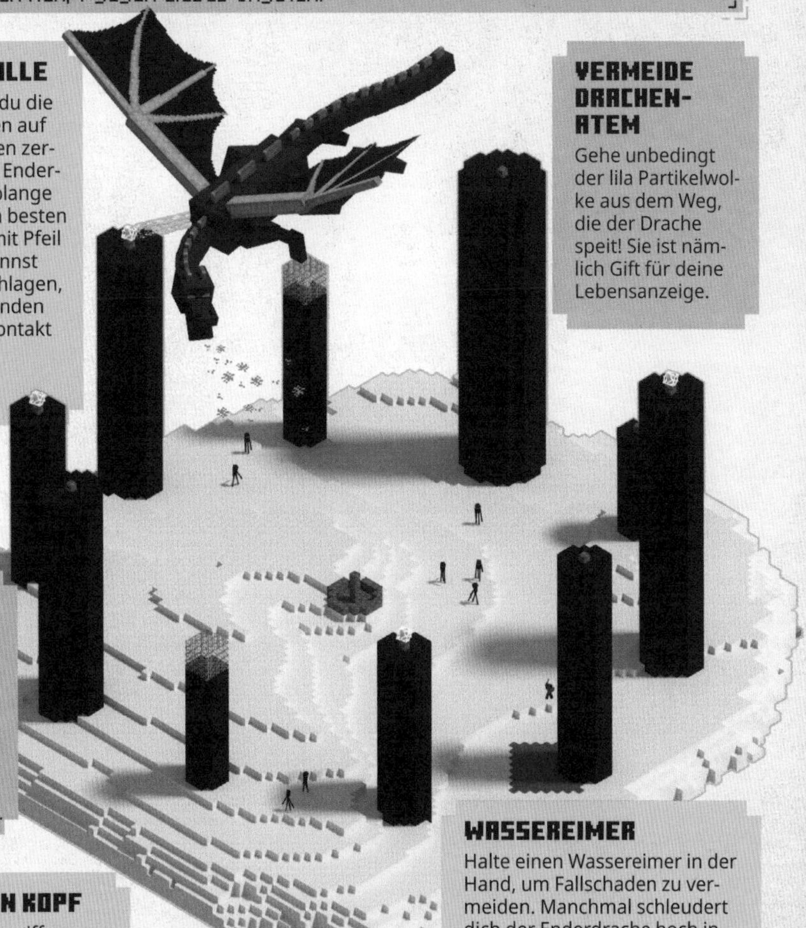

ENDERKRISTALLE

Als Erstes solltest du die Enderkristalle oben auf den Obsidiansäulen zerstören, da sie den Enderdrachen heilen, solange sie intakt sind. Am besten beschießt du sie mit Pfeil und Bogen. Du kannst auch auf sie einschlagen, was jedoch fatal enden kann, da sie bei Kontakt explodieren.

VERMEIDE DRACHENATEM

Gehe unbedingt der lila Partikelwolke aus dem Weg, die der Drache speit! Sie ist nämlich Gift für deine Lebensanzeige.

ENDERMEN

Habe ein wachsames Auge auf die ganzen Endermen, da sie während des Kampfs leicht zu verärgern sind und sich zu dir teleportieren können.

ZIELE AUF DEN KOPF

Versuche deine Angriffe gegen den Kopf des Enderdrachen zu richten, um maximalen Schaden zu verursachen. Körpertreffer erzielen nur geringen Schaden.

WASSEREIMER

Halte einen Wassereimer in der Hand, um Fallschaden zu vermeiden. Manchmal schleudert dich der Enderdrache hoch in die Luft – wenn du also einen Wassereimer kurz vor dem Aufprall platzierst, ersparst du dir einen womöglich tödlichen Sturz.

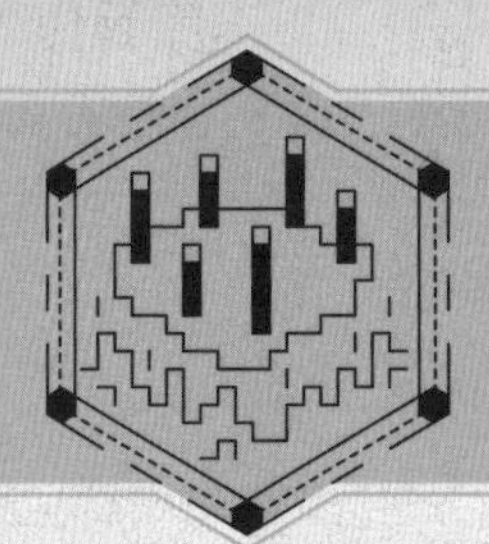

BIOME: ENDE

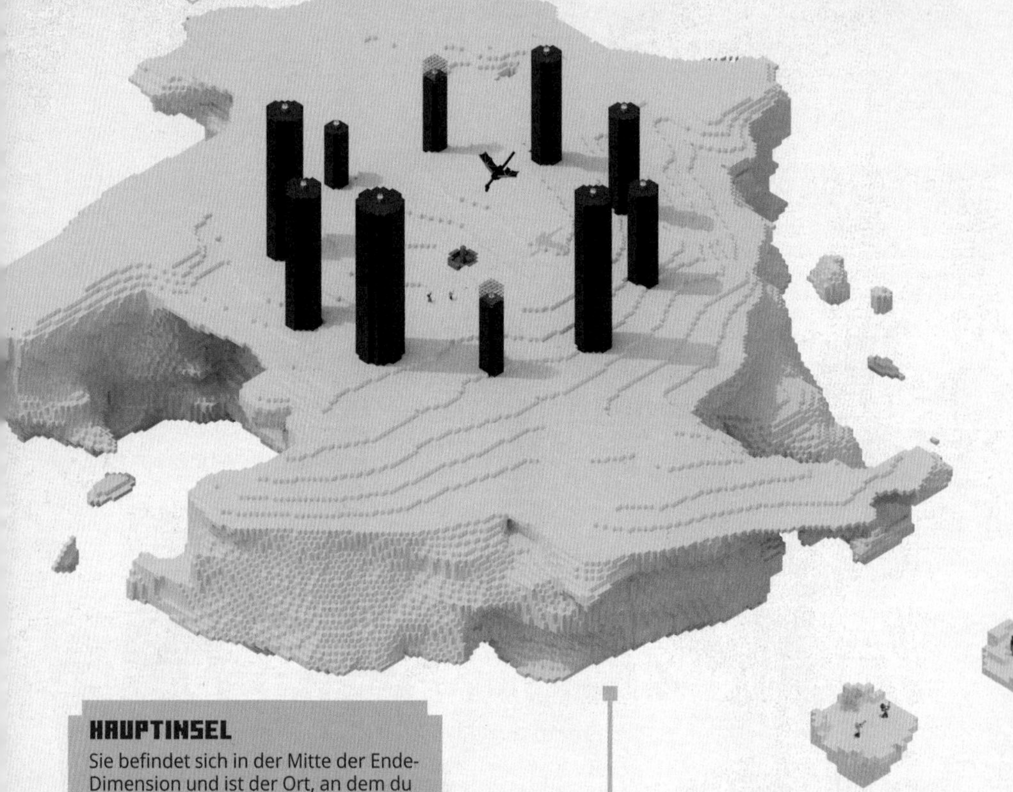

HAUPTINSEL

Sie befindet sich in der Mitte der Ende-Dimension und ist der Ort, an dem du gegen den Enderdrachen kämpfst. Hier befindet sich auch das einzige Ausgangsportal zurück in die Oberwelt.

ENDTRANSITPORTALE

Diese Portale erscheinen, nachdem du den Enderdrachen besiegt hast, und ermöglichen dir, die Inseln am äußeren Rand des Endes zu erreichen. Reise hindurch, indem du eine Enderperle hineinwirfst – es sollte aber nicht deine letzte sein, wenn du wieder zurück auf die Hauptinsel willst! Wenn du eine weitere Stelle im Ende besuchen möchtest, musst du den Enderdrachen erneut beschwören und besiegen – maximal kannst du 20 Portale auf der Hauptinsel erscheinen lassen, um die Ressourcen von 20 Orten im Ende einzuheimsen!

Glückwunsch! Du hast den Enderdrachen besiegt und den Abspann gesehen. Doch das ist nicht das Ende deines Abenteuers! Du hast ein Endtransitportal freigeschaltet, das dich zu den äußeren schwebenden Inseln dieser weltraumartigen Dimension bringt. Also schnapp dir deine Enderperlen und geh auf Beutezug!

ÄUSSERE ENDINSELN

Zu diesen Inseln gelangst du erst, wenn du den Enderdrachen besiegt hast. Sie sind landschaftlich abwechslungsreicher als die Hauptinsel und warten mit baumartigen Choruspflanzen, Endsiedlungen und Schiffen auf. Liegen die Inseln nah genug beieinander, was oft der Fall ist, kannst du mit Enderperlen hin und her reisen.

ENDSIEDLUNG

Endsiedlungen entstehen natürlich auf den äußeren Endinseln, sind aber nicht immer leicht zu finden. Ihre Ansammlung purpurfarbener Strukturen, die als einzelne Türme oder miteinander verbundene Gebäude vorkommen können, machen sie einzigartig. Hier findest du wertvolle Gegenstände wie zum Beispiel Elytren.

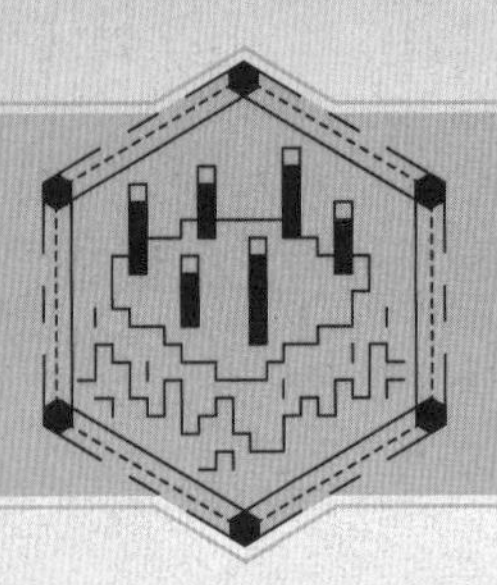

DAS ENDE: TERRAIN

ERKUNDE DAS ENDE

Das Ende ist reich an Ressourcen, doch große Lücken zwischen den Inseln und unzählige Endermen machen es zu einer gefährlichen Dimension. Hier ein paar Tipps, wie du dort überlebst:

CHORUSFRUCHT

Das einzige Nahrungsmittel im Ende, noch dazu mit einem besonderen Effekt: Isst du eine, wirst du zu einem Block in der Nähe teleportiert. Das kann nerven, aber dir auch das Leben retten – besonders, wenn du von einem Shulker-Geschoss (siehe Shulker auf Seite 86) getroffen wurdest. Driftest du in die Leere ab, verzehre schnell eine Chorusfrucht, um wieder an Land transportiert zu werden.

DACH IN DREI BLÖCKEN HÖHE

Endermen sind etwa drei Blöcke hoch, sie passen also nur in Räume, die drei Blöcke Höhe bieten! Baue eine Plattform über deinem Kopf und stell dich darunter, um dich ihnen zu entziehen.

KÜRBISKOPF

Endermen in die Augen zu sehen macht sie aggressiv – aber nicht, wenn du einen Geschnitzten Kürbis aufsetzt! Schalte am besten die Kamera in die dritte Person, damit dein Sichtfeld nicht beeinträchtigt wird.

Das Terrain des Endes ist grundverschieden von dem anderer Dimensionen. Es besteht aus etlichen schwebenden Inseln, die von einem Meer der Leere umgeben sind. Du kannst zwar Brücken zwischen den Inseln bauen, das bedarf aber einer immensen Menge an Blöcken. Glücklicherweise gibt es eine einfachere Methode, im Ende zu reisen: Enderperlen.

Ein Ausgangsportal wird aktiviert, nachdem der Enderdrache besiegt ist.

REISEN PER ENDERPERLE

Enderperlen sind ein cleverer Weg, im Ende zu reisen. Wirfst du eine, wirst du sofort dorthin teleportiert, wo sie landet – dabei nimmst du aber Fallschaden und mit etwas Pech erscheint auch noch eine garstige Endermilbe. Ziele hoch, wirf die Enderperle und hoffe das Beste! Du solltest diese Fortbewegungsmethode erst in der Oberwelt üben, bevor du sie im Ende einsetzt.

Endsteine können nicht von Endermen versetzt werden, was sie zum idealen Baumaterial von Bunkern macht.

PERLENBESCHAFFUNG

Du brauchst jede Menge Enderperlen! Der sicherste Weg ist, dir eine Perlenfarm zu bauen. Dazu konstruierst du einen Bunker, der einen Block tief in den Boden reicht, mit einem Dach, einen Block über dem Boden, damit keine Endermen hineingelangen. Sobald dein Bunker steht, musst du nur noch so vielen Endermen wie möglich in die Augen sehen und dich in den Bunker zurückziehen. Dann schlägst du mit dem Schwert auf ihre Füße ein.

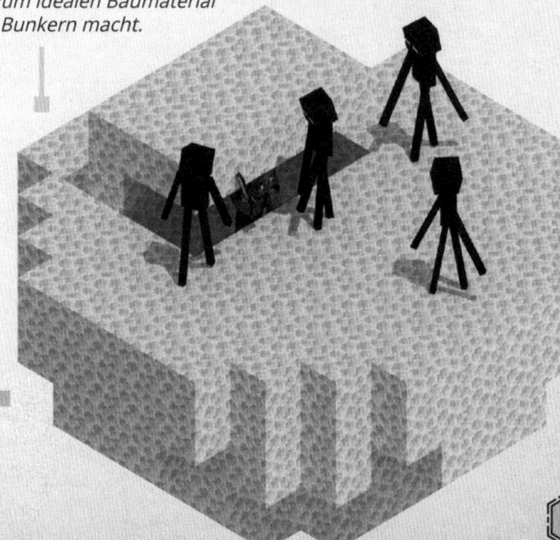

KREATURENBEGEGNUNGEN: ENDE

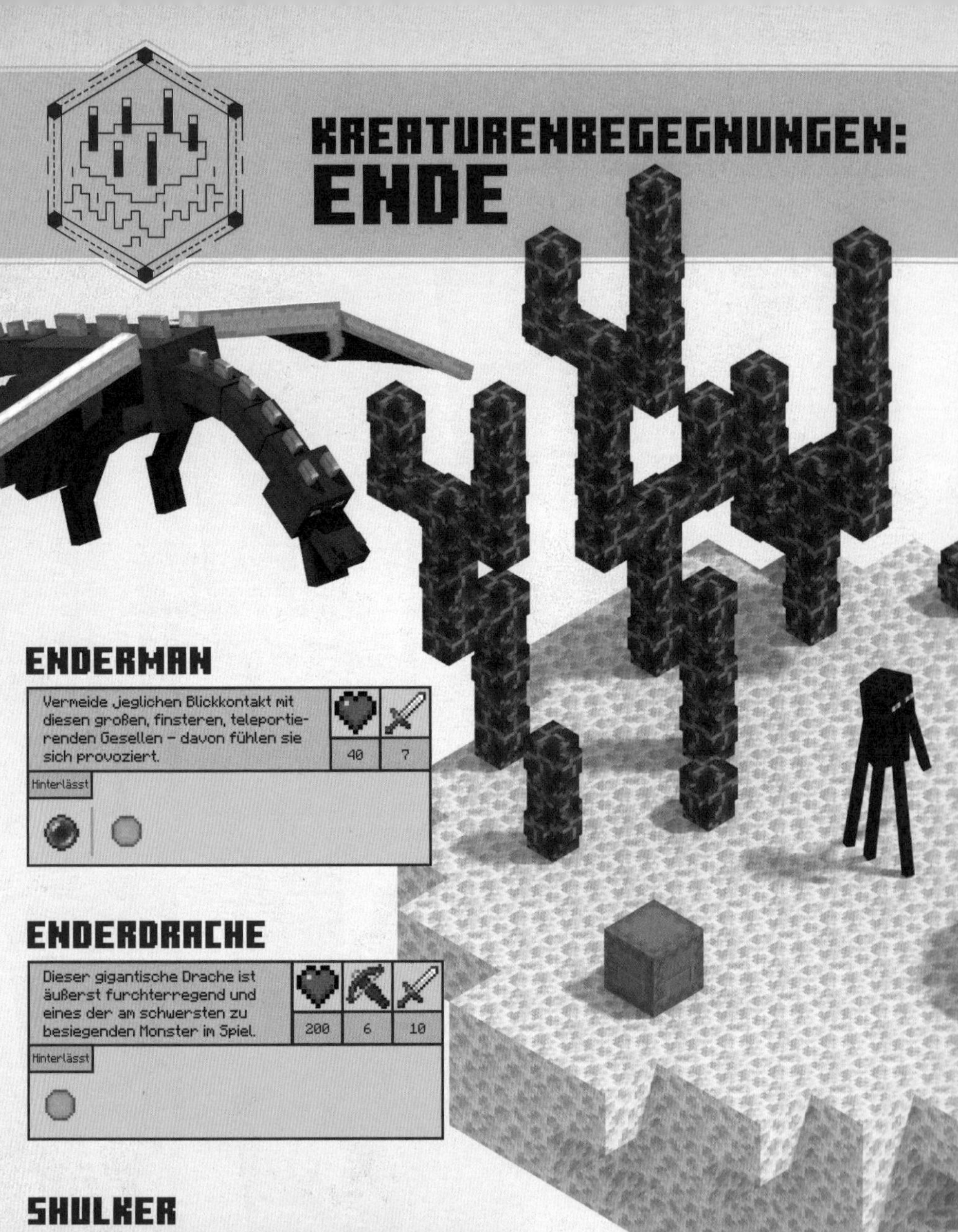

ENDERMAN

Vermeide jeglichen Blickkontakt mit diesen großen, finsteren, teleportierenden Gesellen – davon fühlen sie sich provoziert.	♥	Schwert
	40	7

Hinterlässt

ENDERDRACHE

Dieser gigantische Drache ist äußerst furchterregend und eines der am schwersten zu besiegenden Monster im Spiel.	♥	Spitzhacke	Schwert
	200	6	10

Hinterlässt

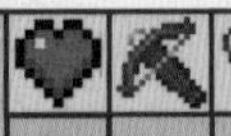

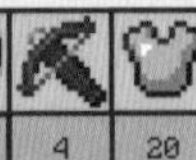

SHULKER

Diese Kreatur kann man leicht mit einem gewöhnlichen Purpurblock verwechseln – bis sie ihre Hülle öffnet und mit ihren Kugeln schießt, die dich schweben lassen!	♥	Spitzhacke	Rüstung
	30	4	20

Hinterlässt

Das Ende ist voller starker und seltsamer feindseliger Kreaturen und sollte daher mit Bedacht betreten werden. Es beherbergt den erbarmungslosen Enderdrachen und zahlreiche andere Kreaturen, die es gar nicht erwarten können, dich anzugreifen. Studiere ihr Verhalten, um gewappnet zu sein! Erklärungen zu den Symbolen findest du auf Seite 47.

ENDERMITE

Wenn du eine Enderperle wirfst, besteht immer das Risiko, dass dieses kurzlebige Krabbeltier erscheint und dich angreift.	♥	⚔
	8	2

Hinterlässt

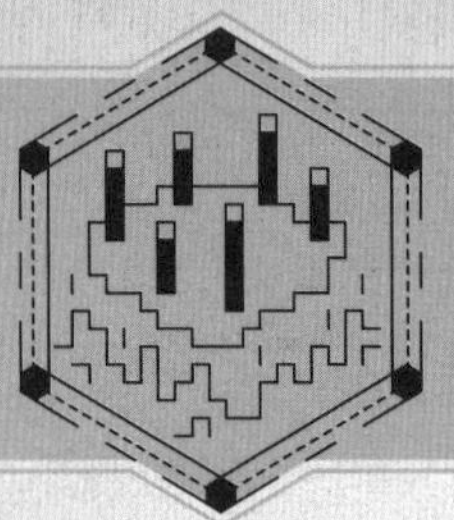

GENERIERTE STRUKTUREN: NETHER & ENDE

NETHER

NETHERFESTUNG

Diese gewaltigen Festungen aus Netherziegel finden sich überall im Nether. Forscher finden hier Netherwarzen, ein Gewächs, das nur im Nether gefunden werden kann und eine essenzielle Brauzutat ist – allerdings auch viele gefährliche Kreaturen wie Lohen.

BASTIONSRUINE

Bastionsruinen sind heruntergekommene Gebäude voll mit Piglins, die wertvolle Truhen und Schatzkammern bewachen. Sie zu erforschen lohnt sich auf jeden Fall, aber sieh dich vor den brutalen Piglin-Grobianen vor!

Jetzt, da du durch Portale in den Nether und das Ende gereist bist, fragst du dich sicher, welche coolen Bauwerke du dort erforschen und welche Kostbarkeiten du darin finden kannst! Erkunde sie aber mit Vorsicht, denn ihre Ressourcen werden von einigen der zähesten Kreaturen in Minecraft bewacht.

ENDE

ENDSIEDLUNGEN

Diese turmartigen Bauwerke aus Endsteinziegeln und Purpurblöcken erstrecken sich bis in den dunklen Himmel. Sie sind in der Ende-Dimension verstreut und sie aufzuspüren kann zeitaufwendig sein. In den Truhen finden sich wertvolle Ressourcen wie Diamanten und verzauberte Diamantausrüstung, die von Shulkern in den Mauern bewacht werden.

ENDSCHIFFE

Noch seltener als die Siedlungen sind diese Schiffe, die man nur in einigen der Endsiedlungen findet. Entdeckst du aber eins, hast du Glück, denn an Bord befinden sich die begehrten Elytren. Damit steht dir der Himmel offen!

AUSGANGSPORTAL

Es befindet sich auf der Hauptinsel und ist der einzige Weg zurück in die Oberwelt – außer dem Tod natürlich! Es bringt dich zurück zu deinem Respawnpunkt und wird erst aktiviert, wenn du den Enderdrachen besiegt hast und ein Drachenei auf der Säule erschienen ist.

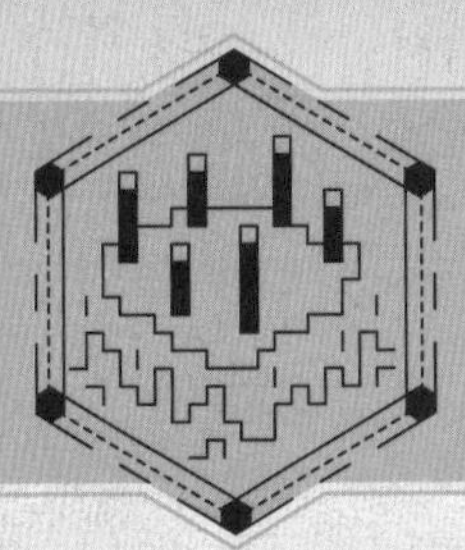

SCHNELLSTART

BONUSTRUHE

Wenn du anfangs deine Welt erstellst, gehe auf „Fortgeschritten" und schalte die „Bonustruhe" an. Dadurch wird eine Truhe mit nützlichen Basis-Gegenständen generiert, die dir deine ersten Schritte erleichtern.

HÖHLENBUNKER

Nicht alle Heime müssen toll aussehen und gemütlich sein. Deine ersten Nächte kannst du auch gut in einer bereits vorhandenen Höhle verbringen! Diese wird dir zwar nicht alle Annehmlichkeiten eines selbst gebauten Eigenheims bieten, dich aber definitiv vor Monstern schützen.

ACKERBAU IM EILVERFAHREN

Landwirtschaft muss kein langwieriger Prozess sein. Besiege Skelette, um um aus ihren Knochen Knochenmehl herzustellen – ein optimaler Dünger, um das Wachstum deiner Ackerpflanzen zu beschleunigen, sodass du schon bald pralle Feldfrüchte ernten kannst!

Du möchtest dich so schnell wie möglich in der Oberwelt etablieren? Wenn du Vertrauen in deine Überlebensfähigkeiten hast, kannst du auch einige der anfänglichen Schritte im Spiel überspringen und dich gleich ins Vergnügen stürzen. Mit diesen Tricks für erfahrene Spieler kannst du einige Stunden in der Anfangsphase einsparen.

WERKZEUGHERSTELLUNG FÜR EILIGE

Es bietet sich zwar an, zuerst ein volles Set an Werkzeugen herzustellen, aber das ist kein Muss. Du kannst dich am Anfang auch auf eine Holzspitzhacke beschränken, mit der du Bruchstein sammelst, aus dem du eine Steinspitzhacke fertigst. Begib dich damit auf die Suche nach Eisenerz, um ein volles Set an Eisenwerkzeugen zu fertigen – damit kannst du schneller Blöcke abbauen, Feinde härter treffen, und sie halten auch länger.

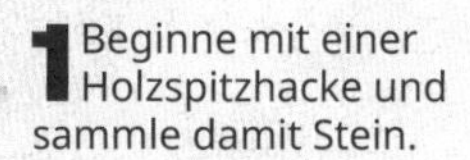

1 Beginne mit einer Holzspitzhacke und sammle damit Stein.

2 Ein Steinschwert ist ideal zur Verteidigung, während du nach Eisenerz suchst.

3 Eine vollständige Eisenrüstung reduziert erhaltenen Schaden um 60 %.

SELBSTBEDIENUNG

Bevor du innehältst und dich niederlässt, solltest du dich nach vom Spiel generierten Strukturen umsehen. Sie können voller nützlicher Ressourcen sein, von Nahrung und Blöcken bis hin zu Werkzeugen und Ausrüstung. Dörfer zum Beispiel sind keine Seltenheit in der Oberwelt und versorgen dich mit Nahrung und Saatgut für deinen eigenen Ackerbau. Denke daran, respektvoll zu deinen freundlichen Nachbarn zu sein, damit sie dich immer willkommen heißen!

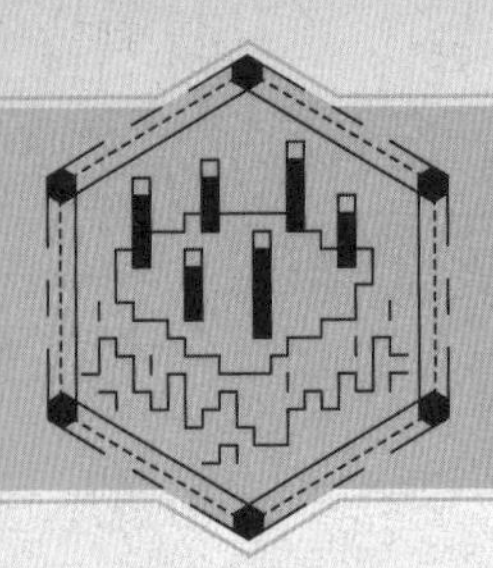

HERAUSFORDERUNGEN SPÄTER IM SPIEL

GEWITTER

Gerade als du dachtest, du hättest alles übers Überleben im Überlebensmodus gelernt und verinnerlicht, kommt ein Gewitter daher und legt dir Steine – beziehungsweise Blitze – in den Weg. Gewitter sind zwar selten, aber sehr gefährlich und manchmal auch tödlich, da Blitze zufällig an irgendeiner Stelle einschlagen und großes Chaos anrichten können sowie auch noch Blöcke entzünden – auch du kannst Feuer fangen, und das nicht nur einmal! Getroffene Schweine werden zu Zombie-Piglins, Dorfbewohner zu Hexen, Meeresschildkröten hinterlassen Schüsseln, und wenn du besonders viel Pech hast, stehst du schon bald vier Skelettreitern gegenüber – die apokalyptischen Reiter lassen grüßen! Plane also voraus und fertige dir ein paar Blitzableiter aus Kupferbarren, um Blitze von dir und deinen brennbaren Sachen wegzulenken.

Du hast jetzt alle Dimensionen erkundet, aber das muss nicht das Ende deiner Reise sein. Es gibt noch so viel mehr an Inhalten zu entdecken, ganz zu schweigen davon, dass Minecraft ständig Updates mit neuen Kreaturen, Blöcken, Gegenständen und Biomen erhält. Hier noch zwei Anregungen, welche Herausforderungen dich noch im Überlebensmodus erwarten!

LEUCHTFEUER

Wenn du Schwierigkeiten hast, zurück nach Hause zu finden, könnte ein Leuchtfeuer genau das Richtige für dich sein. Sein heller Lichtstrahl ist in der Java Edition Hunderte von Blöcken und in der Bedrock Edition bis zu 64 Blöcke weit zu sehen. Aber das ist nicht der einzige Nutzen – Leuchtfeuer können dir auch verschiedene Statuseffekte bescheren: Geschwindigkeit, Eile, Widerstand, Sprungverstärkung und Stärke, was das Überleben enorm erleichtert.

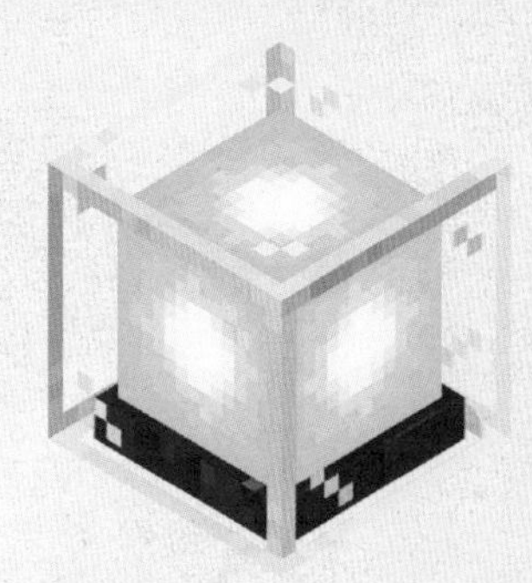

UNTER WASSER

Du weißt jetzt, wie man an Land überlebt, aber wie sieht es im Ozean aus? Die offensichtlichste Hürde ist natürlich das Atmen – in den Tiefen des Ozeans kann es aber auch unglaublich dunkel sein. Doch zum Glück gibt es eine Lösung für beide Probleme: den Aquisator. Stelle einen her, um innerhalb seiner Reichweite von den Statuseffekten Wasseratmung, Nachtsicht und Eile zu profitieren. Er greift sogar Kreaturen an, um deine Meeresbasis vor Eindringlingen zu schützen! Der Ozean bietet viele außergewöhnliche Kreaturen und Schätze, ihn zu erkunden lohnt sich also.

AUF WIEDERSEHEN

Glückwunsch, du bist bis ans Ende des Überlebenshandbuchs gereist! Bist du jetzt in richtiger Abenteuerlaune? Das kannst du auch sein, denn du hast jetzt alles Lebensnotwendige gelernt, um im Überlebensmodus in der Oberwelt, dem Nether und dem Ende zu bestehen.

Aber das ist erst der Anfang. Es gibt noch so vieles in den verschiedenen Biomen von Minecraft zu entdecken und zu lernen. Aber in ein Buch passt eben nicht alles!

Für welche Herausforderung entscheidest du dich als Nächstes? Wie wäre es mit einer Expedition in die Tiefen des Ozeans? Oder wirst du dir ein Leuchtfeuer bauen? Du könntest dich natürlich auch bis ins Tiefes-Dunkel-Biom vorgraben ...

Was auch immer du anpackst, mach dir eins bewusst: Viel wichtiger als dein Geschick oder deine Erfahrung ist es, stets an dich zu glauben. Wenn du die innere Stimme besiegen kannst, die dir einredet, dass etwas zu schwer ist, dann befindest du dich bereits auf der Siegerstraße!

DU SCHAFFST DAS!

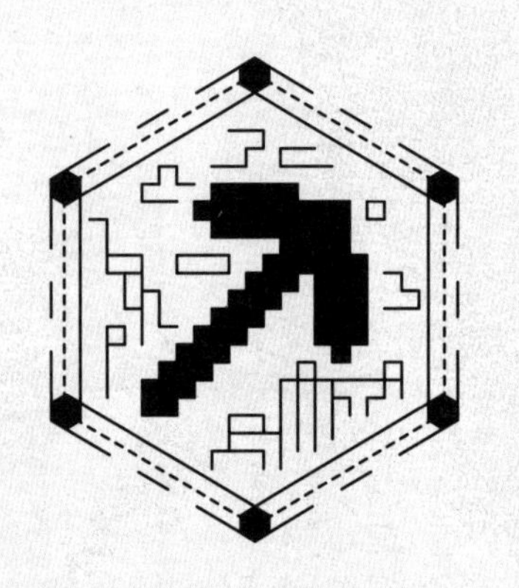